W9-BZG-399

À la découverte du CANADA

TEXTE DE
Barbara Greenwood

ILLUSTRATIONS DE
Jock MacRae

TRADUIT DE L'ANGLAIS PAR
Nicole Ferron

À Bob, toujours prêt à m'aider à résoudre mes problèmes, qui a le don de trouver l'élément particulier que je cherche.

Remerciements

Merci à Valerie Hussey et à Ricky Englander pour m'avoir suggéré ce sujet et donné la chance de m'y attaquer. Cela va de soi, un écrivain a besoin de l'aide de plusieurs personnes lorsqu'il rédige un livre fourmillant de multiples détails. Merci donc à toute l'équide de *Kids Can,* surtout à Marie Bartholomew pour la mise en page et à Jock MacRae pour avoir donné couleur et forme à mes textes avec ses illustrations. Des remerciements tout particuliers à Liz MacLeod, mon éditrice, pour avoir relu très attentivement mon manuscrit.

Les drapeaux et les armoiries sont tirés du livre *Symbols of Canada.*

Les drapeaux et les armoiries de ce livre sont reproduits avec la permission du ministère du Patrimoine canadien, du ministère de la Justice du Québec, ainsi que les gouvernements des provinces de la Colombie-Britannique, de l'Alberta, de la Saskatchewan, du Manitoba, de l'Ontario, du Nouveau-Brunswick, de la Nouvelle-Écosse, de l'Île du Prince-Édouard, des Territoires du Nord-Ouest, du Yukon, de Terre-Neuve et du Labrador. Les armoiries de la province de l'Ontario sont protégées par la loi et reproduites ici avec autorisation.

Les données numériques de population sont extraites du recensement de 1996 de *Statistiques Canada.*

Publié par Kids Can Press Ltd

Version française

Dépôts légaux : 3e trimestre 1998
Bibliothèque nationale du Québec
Bibliothèque nationale du canada

ISBN : 2-7625-6248-1
Imprimé à Hong Kong

LES ÉDITIONS HÉRITAGE INC.
300, rue Arran, Saint-Lambert (Québec) J4R 1K5
Téléphone : (514) 875-0327
Télécopieur : (514) 672-5448
Courrier électronique : heritage@mlink.net

TABLE DES MATIÈRES

Quel endroit merveilleux que le Canada ! Deuxième pays du monde en superficie, c'est la patrie de Terry Fox, de Céline Dion, de Joseph-Armand Bombardier et de Roberta Bondar. Le Canada, c'est également le pays où ont été inventées la fermeture éclair et la motoneige. C'est aussi ici qu'on trouve d'incroyables formations géographiques comme les cheminées des fées, les pingos et les rochers « pots de fleurs ».

À la découverte du Canada est l'œuvre de Barbara Greenwood, auteure canadienne dont les livres ont été primés. Elle a sillonné le pays et a rencontré des enfants et des professeurs pour leur demander ce qu'ils voulaient connaître de leur patrie. Ce livre, qui est une mine de renseignements sur le Canada, est idéal pour les recherches scolaires et pour apprendre des faits étonnants aux parents et aux amis.

CANADA

Canada vient du mot huron *kanata* qui signifie « village ». Le navigateur français Jacques Cartier l'utilisa pour la première fois en 1535 pour décrire la région qui longe le fleuve Saint-Laurent. C'est aujourd'hui le nom du deuxième pays en superficie du globe. Le Canada s'étend sur 5513 km de l'océan Atlantique à l'océan Pacifique, et sur 4634 km de la frontière des États-Unis jusqu'à proximité du pôle Nord. Ses dix provinces et ses deux territoires présentent une grande diversité de paysages : des montagnes et des plaines, des forêts et des prairies, des chutes d'eau et des badlands. L'exploitation des forêts et celle des mines sont d'importantes industries nordiques, alors que la culture des céréales, des pommes et des pommes de terre est pratiquée dans le sud. La pêche a déjà été la plus grande industrie côtière. Le peuple canadien est issu de différentes cultures. La majorité des Canadiens habitent les grandes villes près de la frontière sud.

Points de repère

Population : 28 846 761 hab.

Superficie : 9 970 610 km²

Capitale : Ottawa, Ontario (763 426 hab.)

Autres villes importantes :

Toronto, Ontario (4 263 757 hab.)

Montréal, Québec (3 326 510 hab.)

Vancouver, Colombie-Britannique (1 831 665 hab.)

Principales industries : agriculture, exploitation minière et forestière

Langues officielles : français et anglais

Hymne national : Ô Canada

Devise
A mari usque ad mare
D'UN OCÉAN À L'AUTRE

Armoiries
Les quatre peuples fondateurs du pays sont représentés par les trois lions royaux de l'Angleterre, le lion royal de l'Écosse, la harpe royale de l'Irlande et la fleur de lys de la France. Les feuilles d'érable représentent les forêts canadiennes. Le lion de l'Angleterre tient le drapeau anglais et la licorne de l'Écosse, le drapeau royal français. On trouve dessous la fleur de lys française, le trèfle irlandais, le chardon écossais et la rose anglaise.

Drapeau
Les couleurs officielles du Canada, le rouge et le blanc, viennent de la croix de Saint-Georges d'Angleterre. La feuille d'érable a été l'emblème du Canada au début de la colonie française. Le drapeau canadien actuel fut déployé pour la première fois le 15 février 1965.

Animal
La traite des fourrures, basée sur le castor, fut la première industrie importante du Canada.

4 Le paysage de la taïga est un mélange de régions marécageuses semées de bouleaux nains et de saules et de régions plus sèches de trembles et d'épinettes noires.

3 La toundra est une plaine couverte de lichens, de mousses et de petits arbustes. Son climat est froid et sec.

Le groupe d'îles tout au nord du Canada est connu sous le nom d'archipel Arctique. Il est couvert de glace et de neige pendant dix mois de l'année.

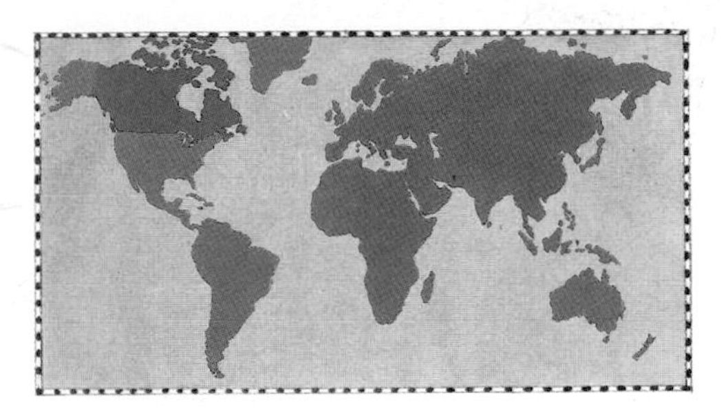

Le Bouclier canadien, une région rocheuse entourant la baie d'Hudson, est couvert de lacs et de forêts. On en extrait de l'or, de l'argent, du cuivre et du nickel.

5 La forêt boréale, une large bande de conifères, traverse le Canada presque de part en part.

7 Les plaines de la baie d'Hudson, une région marécageuse, servent d'habitat à plusieurs oiseaux aquatiques.

OCÉAN ARCTIQUE

BAIE D'HUDSON

OCÉAN ATLANTIQUE

MONTRÉAL

OTTAWA

TORONTO

ÉTATS-UNIS

GRANDS LACS

1 La côte du Pacifique est une région de forêts humides.

2 La cordillère de l'Ouest comprend plusieurs chaînes de montagnes.

6 Les plaines intérieures ou prairies sont d'anciens fonds de mer.

9 Dans la forêt mixte, on trouve de l'érable, du chêne et du noyer.

8 Les montagnes de la région appalachienne sont usées par l'érosion. Les meilleures terres cultivables se trouvent dans ses vallées.

CULTURE ET SOCIÉTÉ

Le 7 novembre 1885, à Craigellachie en Colombie-Britannique, la dernière pointe de fer enfoncée, on inaugura le chemin de fer du Canadien Pacifique traversant le Canada d'est en ouest. Il y a longtemps, chaque ville réglait ses horloges sur le soleil. Comment alors établir des horaires de chemin de fer? Ingénieur en chef du chemin de fer, Sandford Fleming suggéra que le monde soit divisé en 24 fuseaux, chacun différant d'une heure du suivant. L'« heure normale » fut donc mise en application dans le monde entier le 1er janvier 1885. Maintenant, lorsqu'il est midi à Ottawa, il est toujours 13 h à Halifax et 9 h à Vancouver. Le Canada est connu comme étant le pays au nord du 49e parallèle de latitude. Cette ligne fut choisie en 1818 comme frontière traversant les Prairies, des Grands Lacs aux Rocheuses, parce qu'il n'y avait pas de repère naturel qui pouvait marquer la division entre le Canada et les États-Unis.

HISTOIRE DU PAYS

Les premiers immigrants à s'établir sur le territoire qui allait devenir le Canada franchirent vraisemblablement le détroit de Béring, venant d'Asie, il y a environ 12 000 ans. Ils se dispersèrent sur le continent en développant différentes traditions. Les premiers Européens qui mirent le pied en Amérique du Nord étaient des marins. Plus tard, des flottes d'Espagne, du Portugal et d'Angleterre vinrent pêcher dans les Grands Bancs.

1608

La France envoya des explorateurs sur la côte est et dans la région du fleuve Saint-Laurent. En 1608, Samuel de Champlain fit construire, à l'emplacement actuel de la ville de Québec, un poste de traite des fourrures qui donna naissance à la colonie de la Nouvelle-France. Plus tard, l'Acadie devint les provinces maritimes que nous connaissons.

1713

Quand la France perdit la guerre en 1713, la majeure partie de l'Acadie devint britannique. En 1755, les Acadiens furent déportés, car ils refusaient de prêter serment d'allégeance à la Grande-Bretagne. Leurs fermes passèrent aux mains des immigrants anglais. À l'arrivée d'autres colons anglais, on créa le Nouveau-Brunswick en retranchant une partie de la Nouvelle-Écosse. En 1763, le Québec devint britannique et, en 1791, il fut divisé en deux : le Haut-Canada et le Bas-Canada.

Parmi les nombreuses inventions du pays, citons le bras canadien, un instrument mécanique qui fonctionne à l'électricité ; il peut être fixé sur le côté d'une navette spatiale. Long de 15,2 m, il a été utilisé pour réparer des satellites et servira bientôt à construire une station spatiale.

Le Canada fut le troisième pays à concevoir un satellite, *Alouette I*, qui fut lancé en 1962.

La route transcanadienne (7821 km) traverse le Canada de Saint-Jean, Terre-Neuve, à Victoria, Colombie-Britannique. Elle fut complétée en 1962.

En 1936, Radio-Canada fut fondée pour permettre à toutes les régions de cette vaste contrée d'être en contact. Aujourd'hui, cette société diffuse en français et en anglais, et transmet des émissions en langues autochtones par satellite jusque dans l'Arctique.

1812

En 1812, les États-Unis déclarèrent la guerre aux colonies britanniques. Bien que peu nombreuses, ces dernières réussirent toutefois à stopper les envahisseurs. Après la guerre, les gens réclamèrent le droit de voter leurs propres lois. L'Angleterre refusa et des rébellions éclatèrent dans le Haut-Canada et le Bas-Canada en 1837. Même si les rebelles furent battus, la Grande-Bretagne permit plus tard aux colons de gouverner les affaires locales.

1867

En 1867, le Canada-Ouest et le Canada-Est (autrefois le Haut-Canada et le Bas-Canada) se joignirent à la Nouvelle-Écosse et au Nouveau-Brunswick pour former un pays. Le Manitoba devint une province en 1870, lors de l'acquisition par le Canada de la Terre de Rupert et du Nord-Ouest ; la Colombie-Britannique en 1871 ; l'Île du Prince-Édouard en 1873 ; et l'Alberta et la Saskatchewan en 1905. Les territoires du Grand Nord furent divisés et devinrent le Yukon et les Territoires du Nord-Ouest.

ANNÉES 1930

Le Canada prospéra jusqu'aux années 1930 lorsque la crise économique fit plusieurs chômeurs. Après la Seconde Guerre mondiale (1939-1945), le Canada redevint prospère et il accueillit de nombreux immigrants. Terre-Neuve devint une province en 1949. Même si le Canada était un pays indépendant, il ne pouvait pas changer sa constitution sans l'approbation du parlement britannique. La Loi constitutionnelle de 1982 rendit cette approbation non nécessaire.

AUJOURD'HUI

Un Canada toujours en évolution cherche à identifier le nouveau rôle des provinces dans la Confédération et à trouver d'autres marchés pour ses produits.

COLOMBIE-BRITANNIQUE

Troisième province en superficie, la Colombie-Britannique a été baptisée par la reine Victoria. Elle possède trois chaînes de montagnes qui vont du nord au sud. Entre les chaînes, on élève des troupeaux sur un plateau herbeux. Les vallées des rivières, surtout celle de l'Okanagan, abritent des vergers de pêchers et de pommiers. Les températures côtières clémentes créent d'excellentes conditions pour les cultures. Une grande partie de la population habite le sud-ouest de la province. Une chaîne d'îles, dont la plus grande est Vancouver, protègent la côte des tempêtes. Les îles et la côte sont couvertes de pins de Douglas et de cèdres rouges géants, faisant de l'exploitation forestière une industrie majeure. La pêche et l'exploitation minière sont aussi importantes.

Devise
Splendor sine occasu
ÉCLAT SANS TERNISSURE

Points de repère

Population : 3 724 500 hab.

Superficie : 947 800 km^2

Capitale : Victoria (304 287 hab.)

Autres villes importantes :
Vancouver (1 831 665 hab.)
Nanaimo (85 585 hab.)
Prince George (75 150 hab.)

Principales industries : exploitation minière et forestière, agriculture, pêche

Entrée dans la Confédération : 20 juillet 1871

Armoiries
En haut de l'écu, le drapeau britannique rappelle que la province était à l'origine une colonie britannique. Les bandes bleues symbolisent l'océan Pacifique et le coucher de soleil rappelle la situation géographique de la province, à l'ouest du Canada. Les armoiries montrent aussi un wapiti, un bélier et des fleurs de cornouiller.

Drapeau
Le drapeau reprend le dessin de l'écu des armoiries.

Emblème floral
Le cornouiller du Pacifique est couvert de fleurs blanches au printemps et de grappes de fruits rouges en automne.

Oiseau
Le geai de Steller se retrouve dans les forêts humides du Pacifique.

Arbre
Le cèdre de l'ouest atteint souvent 60 m, trois fois plus que le cèdre blanc moyen.

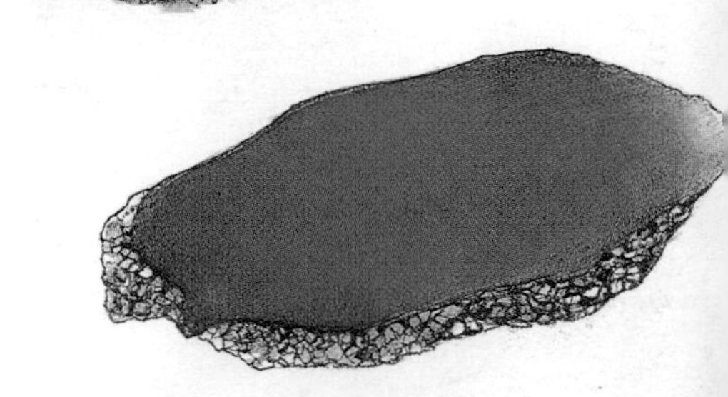

Pierre
Le jade, utilisé en joaillerie et en sculpture, existe en différentes nuances de vert.

Les saumons du Pacifique remontent le fleuve Fraser, la Skeena et d'autres rivières côtières pour frayer (pondre et fertiliser leurs œufs). On en pêche plusieurs au filet, qu'on expédie dans des conserveries.

Les plaines de la rivière de la Paix contiennent des dépôts de pétrole, de gaz naturel et de charbon. On y fait aussi pousser du blé.

Une région de montagnes forestière, la cordillère boréale, constitue l'habitat de l'orignal, du grizzli et de la chèvre de montagne.

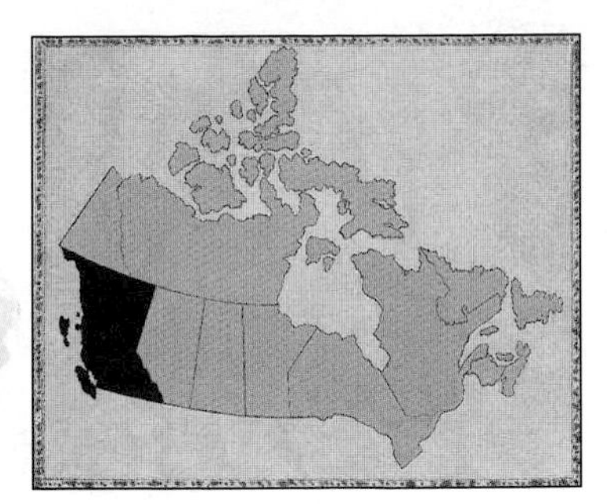

La cordillère Montane est une région montagneuse au climat sec. La région au nord est boisée, mais le sud est désertique. Les plaines boréales sont couvertes de marécages, d'étangs et d'arbrisseaux.

L'orque, le phoque, la loutre de mer, l'otarie et d'abondantes variétés d'oiseaux aquatiques vivent le long de la côte du Pacifique.

On fait l'élevage des troupeaux sur les collines du plateau intérieur.

Les fjords sont de longs bras de mer étroits que les glaciers ont découpés dans les falaises côtières.

Le sillon des Rocheuses suit le versant ouest de la chaîne de montagnes. Les fleuves Columbia et Fraser, et la rivière Kootenay, entre autres, y prennent naissance.

Pommiers, abricotiers, cerisiers, pêchers, poiriers et pruniers croissent sur les pentes sèches et ensoleillées de la vallée de l'Okanagan.

La côte du Pacifique était autrefois couverte d'épaisses forêts de cèdres et d'épinettes gigantesques.

Les trois principales chaînes de montagnes de la Colombie-Britannique sont les chaînes côtières, la chaîne du Columbia et les montagnes Rocheuses.

Avec ses 3954 m d'altitude, le mont Robson est le plus haut sommet des Rocheuses.

CULTURE ET SOCIÉTÉ

La ville historique restaurée de Barkerville fait revivre aux visiteurs la période fiévreuse de la ruée vers l'or.

L'artiste Emily Carr (1871-1945) fut l'une des premières à peindre des scènes de la vie des peuples autochtones de la côte ouest.

Terry Fox (1958-1981), qui fut amputé d'une jambe à cause du cancer, devint un exemple de courage en entreprenant la traversée du Canada à pied pour recueillir des fonds pour la recherche sur le cancer. Il est décédé à New Westminster en juin 1981.

Dans le parc national Yoho, les schistes de Burgess contiennent les restes fossilisés de près de 140 espèces de créatures préhistoriques, comme des vers, des éponges et des trilobites.

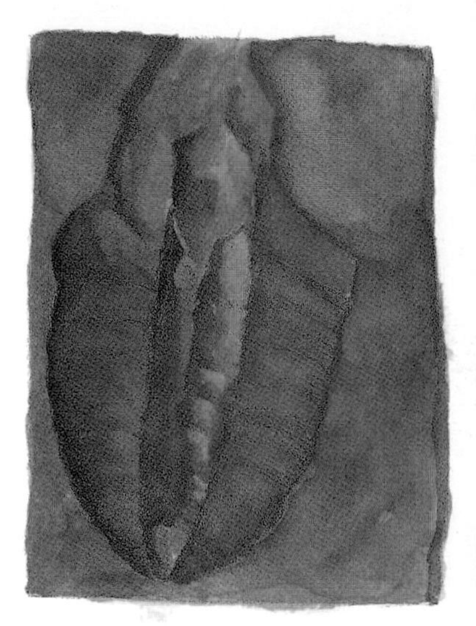

HISTOIRE DE LA PROVINCE

Parmi les peuples autochtones de la côte, notons les Haïdas, les Nootkas, les Bella Coolas, les Tlinkits et les Salishs. Pendant des millénaires, ils ont vécu dans la région du Pacifique, pêchant le saumon et chassant le phoque, le cerf, le wapiti et la chèvre de montagne. Depuis toujours, ils excellent dans le travail du bois, construisant de grandes maisons en planches et sculptant des totems.

ANNÉES 1770

JAMES COOK

Dans les années 1770, l'Espagne et la Russie souhaitaient acquérir la côte du Pacifique nord, mais ce sont les Britanniques qui la réclamèrent les premiers. En 1778, le capitaine James Cook établit la carte d'une partie de la côte. Plus tard, George Vancouver dressa la carte de plus de 16 000 km de côte. En 1793, Alexander Mackenzie voyagea par voie de terre jusqu'au Pacifique. Grâce à ces efforts, l'île de Vancouver et la région de la côte devinrent britanniques.

1805

Les Européens commencèrent à établir des comptoirs de traite des fourrures dans la région en 1805. Ils apportèrent des fusils et des maladies qui affaiblirent la société autochtone. En 1846, comme de nombreux Américains s'étaient établis sur la côte ouest, une frontière devint nécessaire. Le continent au nord du 49e parallèle resta britannique. Il en fut de même pour l'île de Vancouver qui devint une colonie en 1849.

Au large de la côte du Pacifique, on peut voir des groupes d'épaulards en migration.

Le premier rouleau de papier journal manufacturé dans l'Ouest fut produit à Powell River en 1912.

Dan George (1899-1981), acteur et poète, chef des Squamishs, récita un de ses poèmes sur la défaite et la survie des Amérindiens lors des célébrations du centenaire du Canada à Vancouver, en 1967.

On dit qu'un monstre appelé Ogopogo habite le lac Okanagan. Même si plusieurs affirment l'avoir vu, personne ne l'a encore capturé.

En 1993, Kim Campbell devient la première femme à occuper le poste de premier ministre du pays. Elle est native de Port Alberni.

1858

Lorsqu'on découvrit de l'or dans la vallée du Fraser (1858) et dans les chaînons du Caribou (1860), des milliers de chercheurs d'or affluèrent. La région continentale fut proclamée colonie britannique et, en 1866, s'unit à l'île de Vancouver pour former la Colombie-Britannique.

1871

En 1871, la Colombie-Britannique entrait dans la Confédération après la promesse du Canada de construire un chemin de fer qui relierait la côte du Pacifique au reste du pays. Dans les années 1880, des milliers de manœuvres chinois vinrent travailler au chemin de fer. À la fin de sa construction, en 1885, certains restèrent. À la même époque, des immigrants japonais vinrent s'occuper de pêche et de culture maraîchère. Le chemin de fer facilita l'établissement de plusieurs immigrants britanniques venant de l'Est. Vers 1900, Vancouver était déjà une ville animée.

ANNÉES 1900

Au début des années 1900, les ressources naturelles, comme le charbon, l'or, le cuivre et le bois, enrichissaient la Colombie-Britannique. Mais la crise économique des années 1930 apporta le chômage. Ce n'est qu'après la Seconde Guerre mondiale (1939-1945) que des projets comme des barrages hydroélectriques et une fonderie d'aluminium à Kitimat créèrent de nouveaux emplois.

AUJOURD'HUI

L'immigration attire nombre de citoyens dans la province. Comme la population croît, la province est de plus en plus soucieuse de conserver ses forêts humides et ses autres ressources naturelles.

ALBERTA

Province des Prairies la plus à l'ouest, l'Alberta a été ainsi baptisée en l'honneur de la quatrième fille de la reine Victoria, la princesse Louise Caroline Alberta. Les contreforts onduleux du sud de la province offrent le terrain idéal pour les ranchs, et les plaines sont parfaites pour la culture du blé. Plus au nord, la province est couverte de forêts d'épinettes et de pins, avec plusieurs rivières et lacs alimentés par des glaciers. Les hivers qui suivent les étés chauds sont si froids que les Albertains du Sud attendent avec impatience le chinook, un vent chaud qui souffle des montagnes à la fin de janvier. Colonisée par des groupes de cultures différentes, la province fut d'abord réputée pour sa production de blé et son bétail. Des années 1950 à 1980, la découverte de gisements de pétrole la rendit riche. Aujourd'hui, la manufacturation des produits du pétrole, du plastique, des produits de la forêt et des ordinateurs est aussi importante.

Devise
Fortis et liber
FORT ET LIBRE

Points de repère

Population : 2 696 826 hab.

Superficie : 661 190 km^2

Capitale : Edmonton (862 597 hab.)

Autres villes importantes :
Calgary (821 628 hab.)
Lethbridge (63 053 hab.)
Red Deer (60 075 hab.)

Principales industries : production de pétrole, exploitation minière, agriculture, élevage du bétail

Entrée dans la Confédération : 1er septembre 1905

Armoiries
Le haut de l'écu arbore la croix de Saint-Georges, patron de l'Angleterre. La section du bas évoque les paysages de l'Alberta : montagnes, contreforts, prairies et champs de blé. Autour de l'écu, on trouve un castor, un lion, une antilope d'Amérique et des roses sauvages.

Oiseau
Le grand-duc d'Amérique chasse le canard, le lapin et d'autres petits animaux la nuit.

Animal
Le mouflon des Rocheuses erre dans les pentes des plus hautes montagnes.

Drapeau
Le drapeau porte l'écu des armoiries de la province sur champ bleu outremer, une des couleurs officielles de l'Alberta.

Emblème floral
La rose sauvage, aussi connue sous le nom d'églantine, produit des baies vermeilles qui, l'hiver, servent de nourriture aux oiseaux.

Arbre
Des poteaux fabriqués à partir du pin lodgepole étaient utilisés comme supports de tipis par les nations des Plaines.

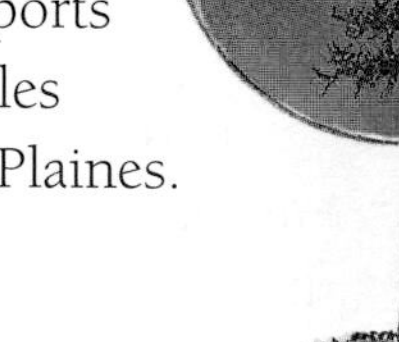

Pierre
Le bois pétrifié est de la matière végétale qui se transforme en pierre lorsque les minéraux dissous dans l'eau remplacent graduellement le tissu originel de l'arbre.

La forêt boréale de pin et d'épinette couvre une grande partie du nord de la province. Elle procure un habitat au wapiti, au grizzli et au castor.

L'eau de la fonte du champ de glace du Columbia alimente les principaux cours d'eau, tels que la Saskatchewan du Nord, le Columbia, l'Athabasca et le Fraser.

Le plus haut sommet de l'Alberta est le mont Columbia dans les Rocheuses.

Le ski, le canotage et l'observation de la nature sont des activités populaires au parc national Jasper.

La prairie est une plaine verdoyante sans arbres. Autrefois fond de mer, elle sert maintenant à la culture du blé.

Au nord, la taïga est formée de plaines gorgées d'eau sur le pergélisol. Peu d'arbres y poussent.

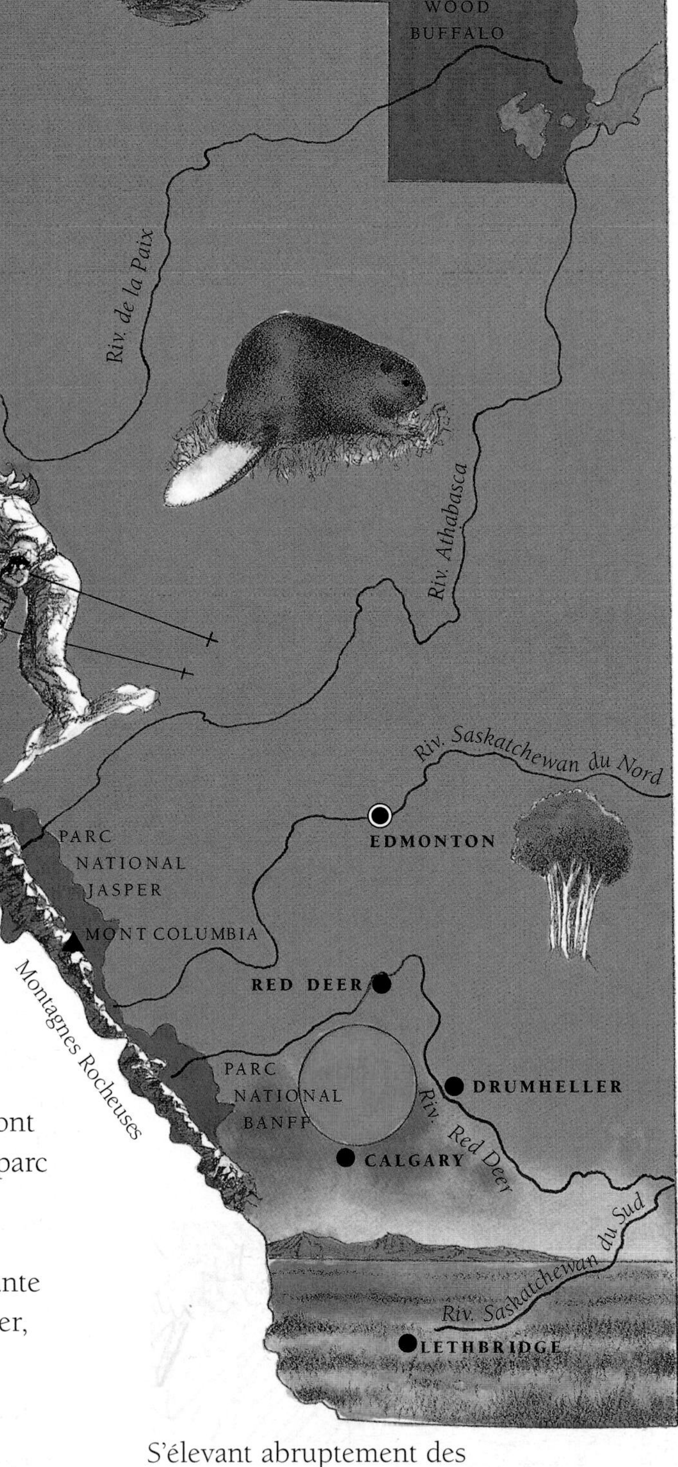

S'élevant abruptement des contreforts, les Rocheuses agissent comme un mur qui stoppe les nuages gorgés de pluie venant de la côte. C'est pourquoi certaines parties de l'Alberta sont très sèches.

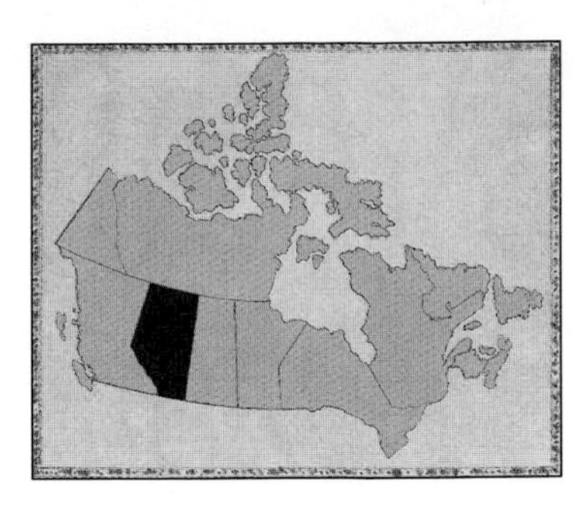

Couverte de collines, la forêt-parc à peupliers faux-trembles jouit d'un sol riche et de pluies suffisamment abondantes pour favoriser la culture.

À Drumheller, des centaines de squelettes de dinosaures ont été découverts dans les couches de schistes. Parmi eux, celui de l'*Albertosaurus*, un féroce prédateur.

Dans les badlands, la rivière Red Deer a érodé la roche en y creusant des falaises abruptes, des petits ravins et des tours rocheuses qu'on appelle cheminées des fées.

CULTURE ET SOCIÉTÉ

À Vegreville, à l'est d'Edmonton, des citoyens d'origine ukrainienne ont célébré leurs traditions en construisant un *pysanka*, un œuf de Pâques géant (9 m de haut).

Les chevaux étaient inconnus des autochtones de l'Alberta et du reste des Prairies avant 1730, lorsque des bandes de ces bêtes amenées par les premiers explorateurs espagnols migrèrent du Mexique vers le nord.

Né à Caroline, une ville des contreforts, le patineur Kurt Browning a remporté quatre championnats mondiaux et quatre championnats nationaux.

Avant l'arrivée des chevaux, les nations des Plaines chassaient le bison en poussant les bêtes vers les falaises dans des précipices à bisons comme celui de Head-Smashed in Buffalo Jump.

HISTOIRE DE LA PROVINCE

Les nations autochtones ont habité pendant des millénaires ce qu'on appelle aujourd'hui l'Alberta. Au nord, ils chassaient l'orignal et le cerf et cueillaient plantes et baies sauvages. Dans les plaines, ils suivaient les troupeaux de bisons, utilisant les peaux de ces derniers pour fabriquer leurs tipis et faisant sécher leur viande pour en faire du pemmican.

1754

Les Européens commencèrent à explorer la région en 1754 ; bientôt, les commerçants de fourrure établirent des postes de traite le long des cours d'eau. Fort Edmonton, sur la rivière Saskatchewan du Nord, devint plus tard le site de la capitale. Au début des années 1800, l'explorateur David Thompson dressa les premières cartes de la région.

1870

Afin d'encourager la colonisation, le Canada acheta, en 1870, les vastes territoires qui avaient appartenu à la Compagnie de la baie d'Hudson. Pour faire régner la paix et l'ordre, la Police montée du Nord-Ouest ouvrit un poste à Fort Macleod. On déménagea les Amérindiens dans des réserves. Le bison, leur principale source d'alimentation et d'habillement, avait presque été exterminé à cause des chasses abusives.

La grue blanche d'Amérique a frôlé l'extinction. Même si l'espèce demeure menacée, environ 160 adultes font leur nid dans les marécages du parc national Wood Buffalo.

Le Stampede de Calgary, dont les débuts remontent à 1912, est un rodéo de dix jours qui célèbre l'adresse des cowboys d'hier et d'aujourd'hui à chevaucher un cheval sauvage, à maîtriser un bouvillon et à prendre un veau au lasso.

En 1916, Emily Murphy (1868-1933) est devenue la première femme à exercer la fonction de magistrat de l'Empire britannique. En 1929, elle contribua au succès de la bataille visant à prouver que les femmes étaient légalement des « personnes », pouvant donc siéger au Sénat.

1897

En 1897, la publicité gouvernementale en Ukraine et dans diverses parties de l'Europe attira des milliers d'immigrants. Ces derniers se rendirent dans l'Ouest par le Canadien Pacifique pour cultiver les prairies. Comme il y avait peu d'arbres, ils passèrent leurs premières années sous des huttes de bardeaux des prairies (mottes de terre retenues par du chiendent).

1930

La crise économique frappa durement l'Alberta lorsque les prix mondiaux du blé et du bœuf baissèrent. Comme plusieurs Albertains élevaient du bétail et cultivaient le blé pour l'exportation, cette chute des prix les appauvrit. Vinrent ensuite des années de sécheresse et plusieurs durent abandonner leur ferme.

1947

C'est en 1947 qu'on découvrit du pétrole à Leduc, au sud d'Edmonton. Ce champ pétrolifère et d'autres, découverts au cours des 30 années suivantes, firent la richesse de l'Alberta. On créa de nombreux emplois dans l'industrie pétrolière et Edmonton et Calgary devinrent de grands centres urbains.

AUJOURD'HUI

À la fin des années 1980, le prix du pétrole baissa et les compagnies durent licencier beaucoup de travailleurs. Depuis lors, le gouvernement de l'Alberta a dû faire de nombreuses compressions budgétaires.

SASKATCHEWAN

Le nom Saskatchewan vient d'un mot cri signifiant « rivière aux flots rapides ». Il fut donné à la rivière géante qui irrigue, en deux branches, le centre de la province. Province centrale des Prairies, entre l'Alberta et le Manitoba, la Saskatchewan est réputée mondialement pour son blé. Plus d'un tiers de ses habitants occupent des fermes. Les deux autres tiers habitent villes et villages ; la plupart sont installés dans les deux plus gros centres urbains, Saskatoon et Regina. Cette dernière, capitale de la province, fut ainsi nommée en l'honneur de la reine Victoria (*regina* signifie reine en latin). C'était autrefois le lieu où on nettoyait les peaux de bisons et où on en faisait sécher la viande. En Saskatchewan, les étés sont torrides et les hivers rigoureux avec de fréquents blizzards. Les vents soufflent presque continuellement sur les plaines du sud.

Devise
Multis e gentibus vires
NOS PEUPLES, NOTRE FORCE

> ***Points de repère***
>
> *Population : 990 237 hab.*
>
> *Superficie : 652 330 km²*
>
> *Capitale : Regina (193 652 hab.)*
>
> *Autres villes importantes :*
> *Saskatoon (219 056 hab.)*
> *Prince Albert (41 706 hab.)*
> *Moose Jaw (34 829 hab.)*
>
> *Principales industries :*
> *agriculture, exploitation minière, raffinage du pétrole*
>
> *Entrée dans la Confédération :*
> *1er septembre 1905*

Armoiries

Le lion rouge représente l'Angleterre, tandis que les trois gerbes de blé représentent la ressource principale de la province. Un lion royal et un cerf de Virginie, portant chacun un collier de perles des nations des Plaines, servent de support à l'écu.

Drapeau
Le segment vert représente les riches herbages et le jaune, les champs de blé. L'écu des armoiries de la Saskatchewan occupe le coin supérieur gauche tandis que le lys de la prairie se trouve à droite.

Fleur
Le lys rouge orangé, appelé lys de la prairie, pousse dans les prairies marécageuses

Oiseau
La gélinotte à queue fine reste au sol et est souvent la cible des chasseurs.

Arbre
Le bouleau blanc était utilisé par les Amérindiens pour fabriquer des canots.

Plante
Le blé est la culture la plus importante de la province.

L'ours noir, l'orignal, le wapiti, le caribou et le lynx habitent la forêt boréale d'épinette, de sapin et de pin.

Au nord, le Bouclier canadien est couvert de forêts de petites épinettes et d'arbustes. Les marais offrent des aires de nidification aux canards et aux oies.

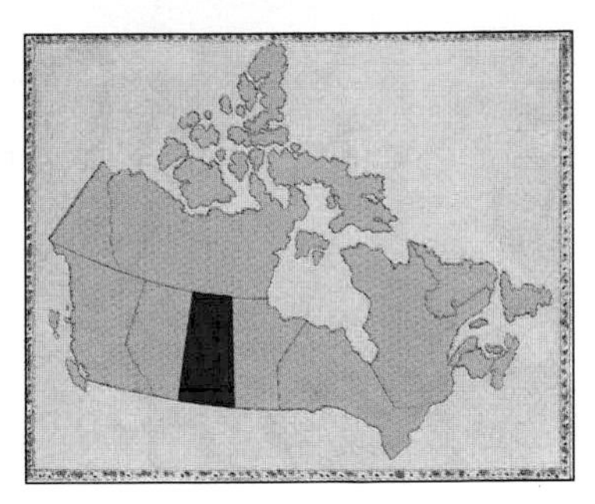

Trois importants cours d'eau irriguent la province : les rivières Saskatchewan et Qu'Appelle et le fleuve Churchill.

La vallée de la rivière Qu'Appelle est une région fertile qui traverse les prairies mixtes d'est en ouest.

La prairie était autrefois couverte de hautes herbes. Elle sert aujourd'hui à la culture du blé.

Dans les Big Muddy Badlands, des ruisseaux ont sculpté dans la roche friable des formes étranges appelées cheminées des fées. Comme il ne reste presque plus de terre, il y a peu de vie végétale.

Dans les collines du Cyprès se trouve la plus haute dénivellation entre les Rocheuses et le Labrador.

CULTURE ET SOCIÉTÉ

Natif de Weyburn, W. O. Mitchell (1914-1998) s'est rendu célèbre par son livre *Qui a vu le vent*, un récit sur la vie dans la prairie.

Les baies du saskatoon ou amélanchier étaient un fruit important pour les autochtones et les premiers colons. On en fait aujourd'hui des tartes, une spécialité locale.

Les premiers colons construisirent leurs maisons en bardeaux des prairies (mottes de terre retenue par du chiendent) parce qu'il y avait très peu d'arbres.

C'est à Regina que s'entraîne la Gendarmerie royale du Canada en vue de sa populaire parade des sergents-majors.

HISTOIRE DE LA PROVINCE

Pendant des millénaires, les nations chipewyan, castor et esclave ont chassé le caribou et trappé le castor dans les forêts du nord. Les Cris et les Pieds-Noirs habitaient les forêts et les prairies du centre. Dans les régions plus sèches du sud, les Assiniboines et les Gros-Ventres chassaient le bison pour se nourrir et utilisaient sa peau pour fabriquer des tipis.

ANNÉES 1700

À partir des années 1700, les Européens firent la traite des peaux de castors avec les Amérindiens et construisirent des forts. Dans les années 1870, le gouvernement canadien encouragea les colons à s'installer dans des fermes dans le sud des Prairies. Une fois le chemin de fer achevé, au début des années 1880, la colonisation s'accéléra.

1885

Les Métis (peuple d'ascendance européenne et aborigène) étaient déjà établis autour de Battleford, le long de la Saskatchewan, lorsque des milliers d'immigrants arrivèrent de l'Est. Craignant de perdre leurs terres, les Métis, conduits par Louis Riel, se rebellèrent. Ils furent défaits par les troupes du gouvernement expédiées en renfort par train.

Grey Owl (1888-1938), un Anglais qui fut fait Ojibwa à titre honorifique, était un défenseur de l'environnement qui travailla à sauver les castors. On peut visiter sa cabane en bois rond dans le parc national de Prince-Albert.

Né à Floral, Gordie Howe détient le record du plus grand nombre de saisons (26) dans la Ligue nationale de hockey. Il fut le plus grand joueur de son époque.

Née à Prud'homme, Jeanne Sauvé (1922-1993) fut la première femme à accéder au poste de gouverneur général du Canada, qu'elle occupa de 1984 à 1990.

Plus d'un millier d'élévateurs à grains se dressaient autrefois dans les Prairies. Les fermiers y entreposaient leur blé jusqu'à l'arrivée du train. De nos jours, les céréales sont transportées par camion.

1905

Lorsque le Canada eut besoin de fermiers qui connaissaient la culture des prairies, il fit de la publicité en Ukraine et à travers l'Europe. Des milliers de familles fermières envahirent le nouveau pays. Vers 1905, comme les colons des Prairies voulaient participer au gouvernement local, on créa deux provinces, la Saskatchewan et l'Alberta.

ANNÉES 1930

Les fermiers des Prairies prospérèrent jusque dans les années 1930. C'est alors que plusieurs années de sécheresse transformèrent en poussière des terres qui ne produisaient plus aucune récolte. La crise économique ayant privé le gouvernement d'argent pour aider les fermiers, ces derniers durent abandonner leur ferme et chercher du travail ailleurs.

1943

En 1943, les finances de la Saskatchewan s'améliorèrent grâce à la découverte de potasse, un produit utilisé dans la fabrication des engrais. On trouva aussi du pétrole et de l'uranium.

AUJOURD'HUI

Même si le blé n'est plus la seule ressource de la Saskatchewan, on surnomme toujours cette dernière « le grenier à blé du Canada ».

MANITOBA

On croit que le nom Manitoba vient des mots cris *Manitou bou,* qui signifient « le passage du Grand Esprit ». Cela décrit bien l'étroit goulot au centre du lac Manitoba où les vagues se brisant contre les rochers sonnent comme le battement d'un tambour géant. Le Manitoba se trouve au centre du Canada et partage les paysages de forêts et de lacs avec l'Ontario à l'est, et de prairies avec la Saskatchewan à l'ouest. Il est bordé au nord par la côte de la baie d'Hudson. Les immigrants du Manitoba étaient originaires de plusieurs pays : Grande-Bretagne, France, Islande, Ukraine, Russie, Hollande et Allemagne. Au début, ils cultivaient le blé dans les prairies du sud. Plus tard, l'exploitation forestière et minière des grandes forêts du Nord prit de l'importance. Aujourd'hui, la production, par exemple, d'aliments, de dérivés du papier, d'équipement de transport et d'équipement électrique est l'industrie majeure. Le Manitoba est réputé pour ses hivers longs et rigoureux, et les forts vents des prairies.

Devise
Glorious et Liber
GLORIEUX ET LIBRE

Points de repère

Population : 1 113 898 hab.

Superficie : 649 950 km²

Capitale : Winnipeg (667 209 hab.)

Autres villes importantes :
Brandon (40 581 hab.)
Portage la Prairie (20 385 hab.)
Thompson (14 385 hab.)

Principales industries : production manufacturière, agriculture, exploitation minière

Entrée dans la Confédération : 15 juillet 1870

Armoiries
L'écu porte la croix de Saint-Georges des armoiries de la Compagnie de la baie d'Hudson et un bison. Le castor tient l'emblème floral, tandis que le collier de la licorne représente la roue d'une charrette de la rivière Rouge et celui du cheval comprend le cercle de vie des autochtones. On trouve en bas le blé, la fleur et l'arbre de la province, et l'eau.

Drapeau
Le drapeau du Manitoba ressemble au pavillon marchand britannique qui était autrefois le drapeau officiel du Canada. L'écu des armoiries de la province a été ajouté à droite.

Emblème floral
Les fleurs de l'anémone pulsatille apparaissent si tôt au printemps qu'elles sont munies de petits poils pour se protéger des variations de température.

Oiseau
La chouette lapone chasse les souris et les lapins la nuit.

Arbre
Les fibres robustes de l'épinette blanche servent à la fabrication du papier.

La prairie mixte, mélange de prairies et de forêts de conifères, couvre les plaines boréales.

Le blé pousse en abondance dans la riche terre noire des prairies.

D'épais bouquets d'épinettes blanches et noires poussent sur le Bouclier canadien. L'exploitation des forêts et celle des mines de nickel et de cuivre sont aussi d'importantes industries.

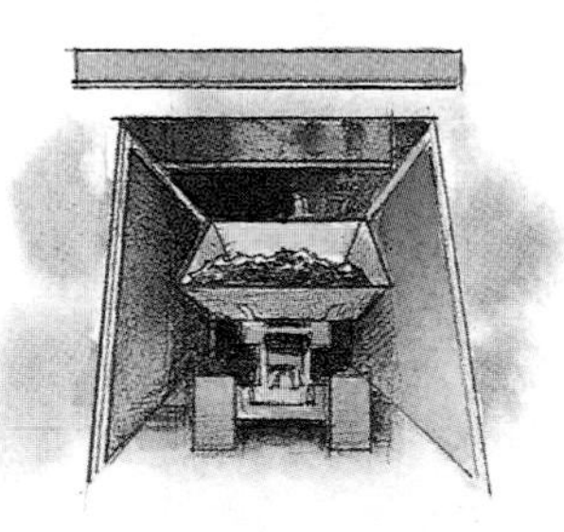

Des milliers de lacs procurent un habitat à plusieurs espèces de poissons et d'oiseaux.

Dans le climat froid de la taïga, seuls poussent des bouleaux nains et d'autres petits arbustes.

Le wapiti parcourt les hautes prairies et les forêts de conifères des plaines boréales.

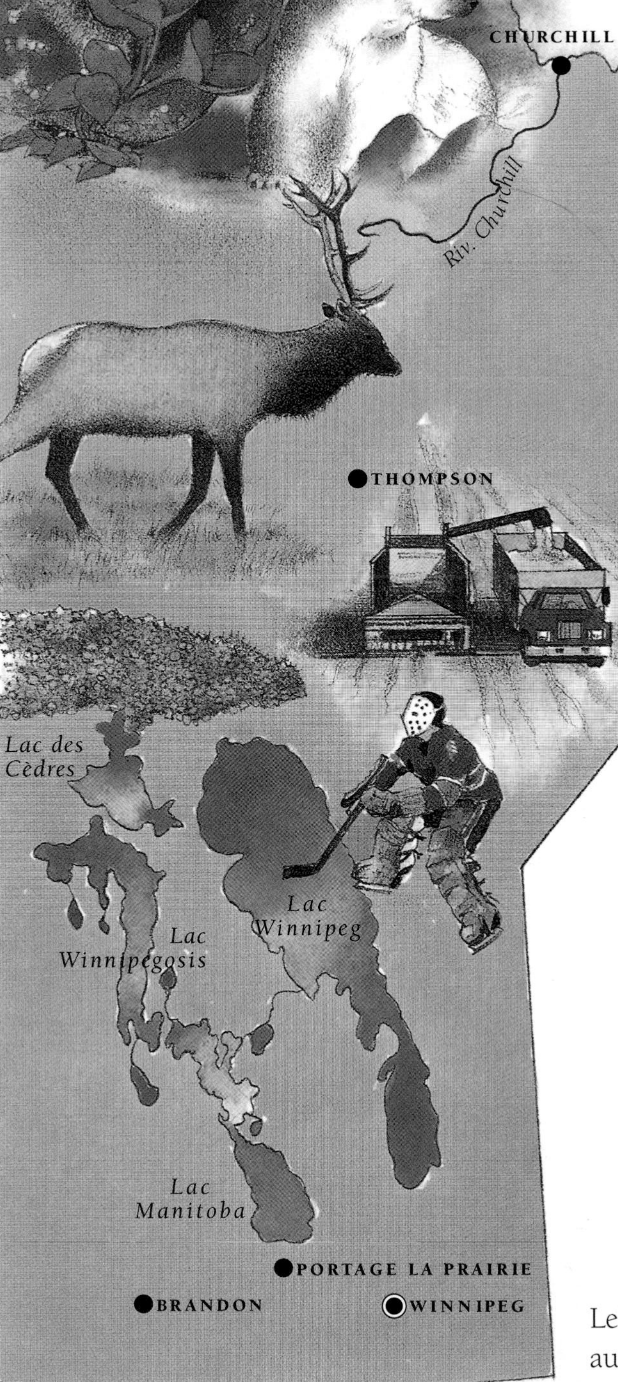

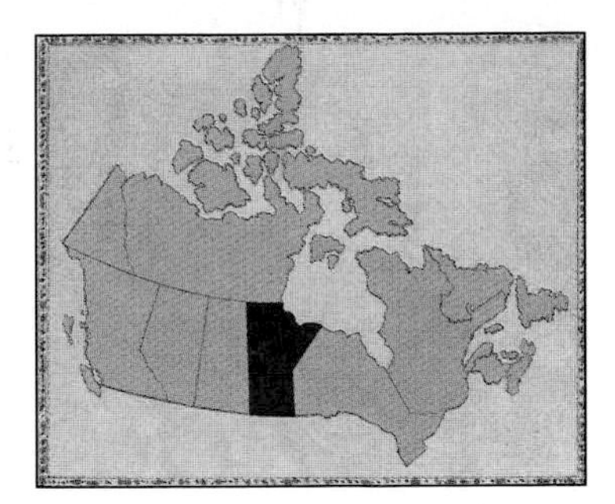

On a baptisé Churchill « la capitale mondiale de l'ours polaire » à cause du grand nombre d'ours qui font leur tanière au sud de la ville.

Les bernaches du Canada s'assemblent dans les marais et les fondrières des plaines de la baie d'Hudson, le plus grand marécage du Canada.

Les grandes rivières, comme la Churchill, fournissent de l'énergie pour la production d'hydroélectricité.

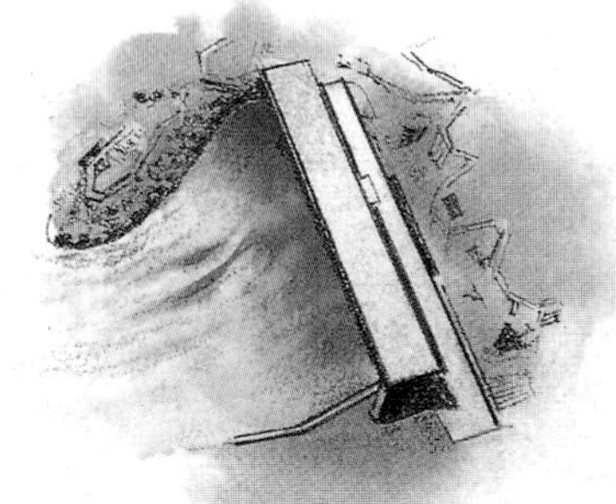

Le lac Agassiz, un grand lac glaciaire, couvrait autrefois la région centre-sud de la province.

CULTURE ET SOCIÉTÉ

Au début de la colonie, c'est en charrettes de la rivière Rouge qu'on transportait les marchandises. Faites de peaux de bêtes tendues sur une structure de bois sans aucun métal, ces voitures à deux roues pouvaient même traverser des cours d'eau en flottant.

Sur le dôme du palais législatif à Winnipeg, une statue dorée de garçon, le *Golden Boy*, tient une torche qui représente le progrès et une gerbe de blé qui montre l'importance de l'agriculture pour la province.

Pendant plus de 200 ans, le duvet soyeux de la fourrure du castor a été utilisé pour faire le feutre dont on confectionnait les chapeaux des gentilshommes européens.

Le parc national Riding Mountain abrite un troupeau de bisons que la chasse a autrefois presque entièrement exterminés.

HISTOIRE DE LA PROVINCE

Les premiers habitants du Manitoba furent les nations des Plaines. Comme ils suivaient le bison et le caribou dans leur migration, ils habitaient des tipis facilement démontables. À l'extrême nord, les Inuits chassaient l'ours polaire et le phoque. En cherchant l'Orient par le passage du Nord-Ouest, les Européens atteignirent le Manitoba vers 1612 en empruntant la baie d'Hudson.

FORT PRINCE-DE-GALLES

1670

En 1670, le roi Charles II d'Angleterre avait octroyé à la Compagnie de la baie d'Hudson, un groupe de financiers intéressés par la traite des fourrures, un vaste territoire appelé Terre de Rupert. Le long des grands cours d'eau se déversant dans la baie d'Hudson, la compagnie construisit des postes de traite comme la *York Factory* et le fort Prince-de-Galles à Churchill.

1731

Entre 1731 et 1738, la famille La Vérendrye, des explorateurs de Nouvelle-France (Québec), parcourut les Grands Lacs et le réseau fluvial jusqu'à ce qu'elle atteigne les rivières Winnipeg et Rouge. Peu après, arrivèrent des commerçants de la Compagnie du Nord-Ouest. Grâce aux voyageurs qui livraient rapidement les peaux de castors à Montréal en canots, ces commerçants firent une lutte farouche à la Compagnie de la baie d'Hudson.

Écrivaine et institutrice, Nellie McClung (1873-1951) fit campagne en faveur des droits des femmes de 1911 jusqu'aux années 1930. Elle sentait que « la dépendance économique des femmes est la plus grande injustice qui leur avait été faite ». Elle participa à la victoire qui fit des femmes des « personnes », pouvant donc siéger comme magistrates et au Sénat.

La statue d'un Viking géant regardant le lac Winnipeg rappelle aux visiteurs les ancêtres vikings du peuple islandais qui s'établit autour de Gimli.

L'artiste cri Jackson Beardy (1944-1984), né sur la réserve Garden Hill du lac aux Îles, raconta les mythes et les légendes de son peuple.

Gabrielle Roy (1909-1983) fut l'un des auteurs francophones les plus connus et les plus appréciés du Canada. Elle naquit à Saint-Boniface et passa son enfance rue Deschambault. Ses romans *La Petite Poule d'eau* et *Rue Deschambault* sont inspirés de sa vie au Manitoba.

1812

Avec l'aide de Lord Selkirk, les fermiers écossais s'établirent dans la vallée de la rivière Rouge en 1812. Les fermes clôturées gênaient le mode de vie des nations des Plaines et des Métis (peuple à moitié autochtone, à moitié européen) qui chassaient le bison. Cela donna lieu à des incidents violents qui n'empêchèrent cependant pas la colonie de Selkirk de survivre.

1870

En 1870, le Canada acheta la Terre de Rupert à la Compagnie de la baie d'Hudson. Comme les colons affluaient, les Métis, menés par Louis Riel, s'emparèrent de Upper Fort Garry (aujourd'hui Winnipeg) et réclamèrent des lois pour protéger leur langue française et leurs écoles catholiques. Le Manitoba (alors une petite région de la vallée de la rivière Rouge) devint ainsi la cinquième province du Canada le 15 juillet 1870.

ANNÉES 1890

Dans les années 1890, l'arrivée du chemin de fer permit aux fermiers, aux mineurs et aux bûcherons d'avoir accès à un plus grand territoire. En 1912, les frontières du Manitoba s'étaient étendues au nord jusqu'à la baie d'Hudson et au 60e parallèle. Plusieurs usines s'ouvrirent dans les villes. En 1919, les tensions entre travailleurs et propriétaires conduisirent à la grève générale de Winnipeg. Après la Seconde Guerre mondiale (1939-1945), d'autres usines virent le jour.

AUJOURD'HUI

La culture du blé, du canola et de l'avoine représente une grande partie de l'économie du Manitoba, mais la construction et l'industrie manufacturière occupent maintenant la première place.

ONTARIO

Le nom Ontario signifie « eau vive » en langue iroquoise, et il convient bien à cette province parsemée de 250 000 lacs. Deuxième province du pays en superficie, elle possède la population la plus élevée. Quatre-vingt-dix pour cent des Ontariens habitent dans le sud de la province, là où se pratique aussi une grande partie de l'agriculture et de la production manufacturière. Le nord de l'Ontario, qui compte 90 pour cent des terres fertiles de la province, est riche en forêts, en mines et en énergie hydroélectrique. Les mines autour de Sudbury sont la plus grande source mondiale de nickel. Cette région produit aussi plus de cuivre que partout ailleurs au Canada. L'Ontario s'étend de la baie d'Hudson au nord jusqu'aux Grands Lacs, qui forment sa frontière sud avec les États-Unis. Le climat, habituellement ensoleillé avec des pluies modérées, passe de très froid l'hiver à très chaud l'été.

Devise

Ut incepit fidelis sic permanet

FIDÈLE ELLE A COMMENCÉ, FIDÈLE ELLE DEMEURE

Points de repère

Population : 10 753 573 hab.

Superficie : 1 068 580 km²

Capitale : Toronto (4 263 757 hab.)

Autres villes importantes :
Ottawa (763 426 hab.)
London (398 616 hab.)
Thunder Bay (125 562 hab.)

Principales industries : production manufacturière, agriculture, exploitation minière et forestière

Entrée dans la Confédération : 1er juillet 1867

Armoiries

La croix rouge de Saint-Georges, symbole de l'Angleterre, montre les premiers liens de l'Ontario avec ce pays. Les trois feuilles d'érable représentent le Canada. Un orignal, un ours noir et un chevreuil entourent l'écu.

Drapeau

Le drapeau de l'Ontario ressemble au pavillon marchand britannique, autrefois le drapeau du Canada. Le drapeau britannique dans le coin gauche rappelle les premiers liens de l'Ontario avec ce pays. L'écu des armoiries est à droite.

Emblème floral

Le trille à grandes fleurs pousse en grand nombre dans les bois au printemps.

Oiseau

On trouve le huart à collier sur les lacs du nord de l'Ontario.

Arbre

Les forêts de pin blanc couvraient autrefois presque tout le sud de l'Ontario.

Pierre

L'améthyste pourpre est extraite près de Thunder Bay.

La forêt boréale, région d'épinette, de sapin et autres conifères, couvre la moitié de la province, incluant presque tout le nord de l'Ontario. Les arbres servent à produire près du cinquième du papier journal du Canada.

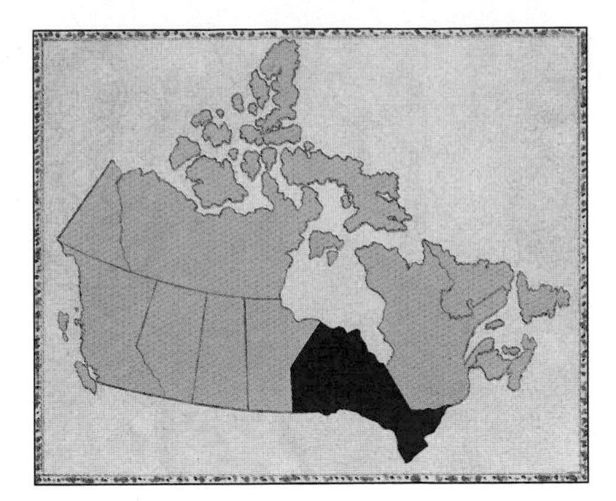

Les deux tiers de l'Ontario sont couverts par le Bouclier canadien, une région riche en métaux précieux comme l'or, l'argent et le platine, et d'autres métaux comme le nickel et le cuivre.

BAIE D'HUDSON

BAIE JAMES

Les plaines de la baie d'Hudson sont couvertes de fondrières, tapis spongieux de mousses et de lichens.

Les cinq parcs nationaux et les 241 parcs provinciaux, dont le parc Algonquin, procurent des aires pour pratiquer la pêche, le canotage, le ski et d'autres sports d'extérieur.

THUNDER BAY

OTTAWA

PARC ALGONQUIN

Lac Supérieur

Fl. Saint-Laurent

Lac Huron

Lac Michigan

Lac Ontario

TORONTO

CHUTES DU NIAGARA

LONDON

Lac Érié

PARC NATIONAL DE LA POINTE-PELÉE

Quatre des cinq Grands Lacs, qui constituent le plus grand réservoir d'eau douce du globe, forment une partie de la frontière de l'Ontario.

La tour du CN (553 m) à Toronto est la plus haute structure autoportante du monde. Au pied de la tour, on trouve le SkyDome, où se produisent les Blue Jays, champions des séries mondiales de baseball.

La Pointe-Pelée, sur le lac Érié, est le point le plus chaud et le plus au sud du Canada continental. C'est une escale importante pour les oiseaux migrateurs et les monarques.

C'est dans les plaines autour des Grands Lacs et du Saint-Laurent que se trouvent les meilleures fermes de l'Ontario. Celles-ci produisent la plupart des fruits et des légumes du Canada.

Les chutes du Niagara, qui possèdent le plus grand débit d'eau à la seconde du monde, ont été aménagées pour produire de l'électricité. Niagara signifie « tonnerre d'eau » dans la langue des Neutres.

CULTURE ET SOCIÉTÉ

En 1811, dans le comté de Dundas, John McIntosh découvrit un pommier sauvage qui portait des fruits fermes, juteux et sucrés et le cultiva. Chaque pomme McIntosh vendue aujourd'hui est une « descendante » directe de ce même pommier.

Le 22 janvier 1992, le Dr Roberta Bondar devint la première femme astronaute canadienne lorsque la navette spatiale *Discovery* entama son voyage de huit jours en orbite autour de la Terre. Roberta Bondar est née à Sault-Sainte-Marie.

C'est dans un laboratoire de Toronto que Frederick Banting (1891-1941) et Charles Best (1899-1978) découvraient l'insuline, un médicament qui sauve la vie des diabétiques. Cette découverte leur valut le prix Nobel de médecine en 1923.

Le basket-ball fut inventé par John Naismith d'Almonte. Au début, il utilisait comme panier un demi-boisseau de pêches vide dont il avait découpé le fond.

HISTOIRE DE LA PROVINCE

Depuis la préhistoire, plusieurs peuples autochtones ont occupé le territoire qui est maintenant l'Ontario. Vers 1600, deux groupes s'y étaient installés. Au nord, les Ojibwas, les Nipissings et les Algonquins vivaient de chasse et de cueillette. Les Hurons, les Neutres, les Pétuns et les Mississaugas cultivaient le maïs et la courge au sud.

1610

L'explorateur français Étienne Brûlé vint vivre avec les Hurons en 1610. En 1639, des missionnaires jésuites établirent une mission à Sainte-Marie chez les Hurons de la baie Georgienne. Les forts français sont souvent devenus le site de villes. Kingston, par exemple, était autrefois le fort Frontenac. En 1763, lorsque les Anglais remportèrent la guerre de Sept Ans en Europe, ils gagnèrent en même temps les colonies françaises en Amérique du Nord.

1781

En 1781, les loyalistes voulant échapper à la Révolution américaine s'établirent sur la rive nord du lac Ontario. La croissance de la population força l'Angleterre à diviser la colonie en deux provinces, le Haut-Canada et le Bas-Canada. York, aujourd'hui Toronto, fut choisie comme capitale du Haut-Canada (qui devint l'Ontario). Les Canadiens réussirent à repousser l'invasion américaine durant la guerre de 1812.

Native de Norwich, Emily Stowe (1831-1903) fut la première femme à pratiquer la médecine au Canada. Elle ouvrit son cabinet à Toronto en 1867.

C'est dans la ville de St. Catharines qu'a été fabriquée la première fermeture éclair.

Le joueur de hockey Wayne Gretzky a d'abord joué dans une équipe de Brantford, sa ville natale. Gretzky est l'un des rares joueurs à avoir été nommé joueur le plus utile à son équipe pendant sa première année dans la LNH. Il jouait alors à Edmonton.

La rue Yonge est la plus longue rue du monde. Elle part du lac Ontario à Toronto et file au nord puis à l'ouest sur une distance de 1900 km jusqu'à la rivière Rainy à la frontière de l'Ontario et du Minnesota.

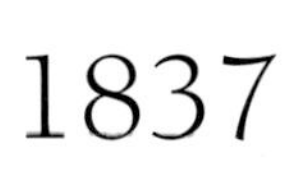

1837

En 1837, les colons réclamèrent leur autonomie. Après le refus de l'Angleterre, le journaliste William Lyon Mackenzie déclencha avec eux une rébellion. Ils furent vaincus, mais le système gourvernemental fut changé et les politiciens élus eurent bientôt plus de pouvoir.

1867

Le 1er juillet 1867, l'Ontario devint l'une des quatre premières provinces du nouveau dominion du Canada. Cette union offrait plus de protection contre les invasions et des marchés plus grands. L'agriculture et l'industrie forestière étaient alors les plus grandes industries de l'Ontario. En 1883, on découvrit du cuivre et du nickel à Sudbury.

1914

Durant la Première Guerre mondiale (1914-1918), les industries de l'acier et des produits manufacturés croissaient en Ontario. Mais même si la crise économique des années 1930 apporta son lot d'épreuves, la Seconde Guerre mondiale (1939-1945) stimula l'industrie. Après la guerre, l'industrie de l'automobile et d'autres produits manufacturés fit de l'Ontario un important centre de commerce.

AUJOURD'HUI

L'Ontario est devenue une société multiculturelle grâce à l'immigration.

QUÉBEC

La plus grande province canadienne tire son nom du mot algonquin signifiant « passage étroit ». Il décrit bien le rétrécissement du fleuve Saint-Laurent en face de la ville de Québec. C'est dans les régions au nord et au sud du fleuve que se trouvent les fermes les plus riches, les plus grandes villes et la plus grande concentration de population. La production manufacturière, surtout des vêtements, des textiles, des aliments et des boissons, y est concentrée. Dans la région forestière rocheuse du centre, la production de pâte à papier ainsi que l'exploitation minière sont importantes. À l'extrémité nord de la province, il n'y a que roches nues et marécages. Du nord arctique au sud tempéré, le climat du Québec subit des changements drastiques. Les étés de la région du Saint-Laurent sont chauds et excellents pour les cultures, mais les hivers sont rigoureux. La province la plus populeuse après l'Ontario, le Québec est la seule province francophone du Canada.

Devise
JE ME SOUVIENS

Points de repère

Population : 7 138 795 hab.

Superficie : 1 540 680 km²

Capitale : Québec (671 889 hab.)

Autres villes importantes :
Montréal (3 326 510 hab.)
Laval (330 393 hab.)
Sherbrooke (147 384 hab.)

Principales industries :
production manufacturière, électricité, exploitation minière, pâte et papier

Entrée dans la Confédération :
1er juillet 1867

Armoiries
Les symboles de l'écu représentent les trois pays qui ont façonné l'histoire du Québec : les fleurs de lys de la France royaliste, le lion d'or de la Grande-Bretagne et les feuilles d'érable du Canada.

Drapeau
Désigné sous le nom de fleurdelisé, le drapeau est orné de fleurs de lys françaises qui symbolisent la colonisation du Québec par la France.

Emblème floral
Le lys blanc fut choisi parce qu'il ressemble à la fleur de lys qui symbolise la France royaliste.

Oiseau
L'épaisse couche de plumes du harfang des neiges l'aide à survivre dans l'Arctique.

Arbre
Le bois du merisier est utilisé dans la fabrication des meubles et des parquets.

Minéral
L'amiante, un minéral gris filamenteux, est incombustible et protège contre la chaleur.

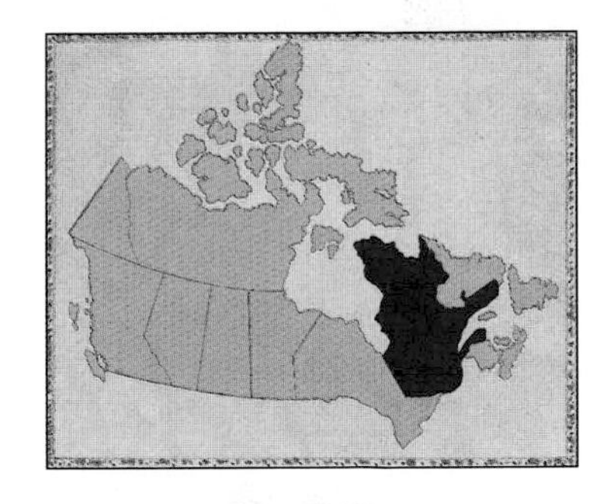

Les vastes plaines bordant la baie d'Hudson forment une bande de terre marécageuse appelée toundra.

Le Bouclier canadien, paysage de roc, d'arbres et de lacs, couvre une grande partie de la province. Deux des nombreux animaux qui y vivent sont le renard roux et le lynx canadien.

Les plaines du Saint-Laurent, riche zone agricole, s'étendent en une étroite bande de chaque côté du fleuve.

On extrait 25 pour cent de l'or canadien des mines de Val d'Or et de Rouyn-Noranda.

Les collines rocheuses de la péninsule de Gaspé constituent un réservoir de sapin baumier et d'épinette noire servant à l'industrie de la pâte et du papier.

Les skieurs adorent le défi que leur offrent les pentes des Laurentides. Le mont Tremblant est l'un des monts québécois les plus connus.

La voie maritime du Saint-Laurent permet aux transatlantiques d'atteindre les Grands Lacs.

CULTURE ET SOCIÉTÉ

Québec est la seule ville fortifiée au nord du Mexique. Certains de ses édifices ont plus de 300 ans. Elle est également la seule ville d'Amérique à faire partie des Villes du patrimoine mondial de l'UNESCO.

En février, on peut rencontrer le bonhomme Carnaval, la mascotte du carnaval d'hiver de Québec.

Native de Charlemagne, Céline Dion avait 13 ans lorsqu'elle commença à chanter professionnellement. Son album *Incognito* en fit une mégastar.

L'île Bonaventure, réserve d'oiseaux célèbre dans le monde entier, accueille plus de 25 000 couples de fous de Bassan.

HISTOIRE DE LA PROVINCE

Ce sont les Iroquois qui les premiers s'établirent le long du Saint-Laurent ; ils cultivaient le maïs autour de leurs villages. Ils furent imités par les Ilnutsh (Montagnais) qui chassaient l'orignal et habitaient des abris transportables en écorce de bouleau. Pendant des siècles, les Inuits ont chassé l'ours polaire et le phoque le long des côtes de la baie d'Hudson.

1534

Jacques Cartier accosta à Gaspé en 1534 et prit possession du territoire au nom de la France. Mais ce n'est pas avant 1608 que Samuel de Champlain fonda la colonie de la Nouvelle-France. Comme le principal intérêt du gouvernement français était le commerce des fourrures, la colonie de fermiers grossissait lentement.

JACQUES CARTIER EST ACCUEILLI PAR LES AMÉRINDIENS

1663

Vers 1663, les habitants cultivaient la terre tandis que les voyageurs sillonnaient les cours d'eau pour faire la traite des fourrures avec les Amérindiens. La guerre éclata entre la France et la Grande-Bretagne et la ville fortifiée de Québec tomba aux mains des Anglais pendant la bataille des plaines d'Abraham en 1759. Ces derniers rebaptisèrent la colonie du nom de Québec en 1763.

Les Canadiens de Montréal ont gagné la coupe Stanley à 23 reprises grâce en partie aux étoiles qu'étaient Maurice Richard et Jean Béliveau.

Inventé à Montréal, le jeu *Quelques arpents de pièges* y fut d'abord vendu en 1982.

Reginald Fessenden (1866-1932) de Milton-Est est considéré comme le père de la radio. En 1900, le cri qu'il poussa dans le microphone d'une invention qu'il appelait « le sans-fil » fut entendu par son assistant à 1,5 km de là.

J.-A. Bombardier (1907-1964) de Valcourt, inventeur de la motoneige, fabriqua le premier Ski-Doo® en 1959.

1791

Même si le Québec appartenait alors à la Grande-Bretagne, il demeura une colonie francophone jusqu'à l'arrivée des loyalistes qui fuyaient la Révolution américaine, vers 1781. Plusieurs de ces nouveaux arrivants s'établirent vers l'ouest, loin des fermes et des villages français. En 1791, Québec fut divisé en deux : le Haut-Canada (anglophone) et le Bas-Canada (francophone).

1837

Au 19e siècle et au début du 20e siècle, les affaires et le gouvernement du Québec étaient surtout dirigés par les marchands anglais. L'amertume des francophones face à cette situation conduisit à la rébellion des Patriotes de 1837. Il en résulta quelques changements ; mais même quand le Québec devint une des provinces fondatrices du Canada en 1867, leur sort ne s'améliora pas. La plupart continuèrent d'être ouvriers plutôt que patrons.

1900

Après 1900, la croissance de l'industrie poussa les gens à déménager en ville. Malgré leurs nouveaux emplois, les travailleurs réalisèrent qu'ils avaient peu de droits. Vers les années 1960, la Révolution tranquille réclamait des changements. Les conditions de travail s'améliorèrent, le français devint langue officielle et les Canadiens français se donnèrent le nom de Québécois.

AUJOURD'HUI

Le référendum de 1995 fut un échec pour les Québécois désirant se séparer du Canada et une victoire (par une faible majorité) pour ceux souhaitant le statu quo. D'autres Québécois encore cherchent à acquérir plus d'autonomie au sein même du Canada.

NOUVEAU-BRUNSWICK

Le Nouveau-Brunswick a ainsi été nommé, lors de sa création en 1784, en l'honneur de George III, roi d'Angleterre et duc de Brunswick. Cette petite province à l'extrémité est du Canada est bordée au nord par le Québec, à l'ouest par l'État du Maine, et a la Nouvelle-Écosse comme vis-à-vis de l'autre côté de la baie de Fundy. Même si le climat intérieur est très froid l'hiver et très chaud l'été, l'air marin fait que le climat est plus modéré dans les régions côtières. Les industries se sont développées en fonction des ressources naturelles. Il y a l'industrie forestière dans les forêts intérieures, la pêche le long des côtes et les fermes laitières et la culture de la pomme de terre dans la fertile vallée de la rivière Saint-Jean. Les habitants du Nouveau-Brunswick ont des origines diverses, y compris écossaises et irlandaises. Plusieurs habitants de la côte nord sont des Acadiens francophones. C'est la seule province officiellement bilingue du Canada.

Devise
Spem reduxit
L'ESPOIR RENAÎT

> ***Points de repère***
>
> *Population : 738 133 hab.*
>
> *Superficie : 73 440 km²*
>
> *Capitale : Fredericton (78 950 hab.)*
>
> *Autres villes importantes :*
> *Saint-Jean (125 705 hab.)*
> *Moncton (113 491 hab.)*
> *Bathurst (25 415 hab.)*
>
> *Principales industries : production manufacturière, exploitation minière et forestière, pêche*
>
> *Entrée dans la Confédération : 1er juillet 1867*

Armoiries
Crosses de fougère, saumon de l'Atlantique, violettes et cerfs de Virginie portant des colliers de perles indiennes entourent l'écu. Le lion d'or de l'Angleterre traverse le haut du blason. La galère antique dans la partie inférieure symbolise l'importance de la construction navale des débuts du Nouveau-Brunswick.

Drapeau
Le drapeau est une version rectangulaire de l'écu des armoiries.

Emblème floral
La violette pousse dans les prairies et les bois marécageux.

Oiseau
La mésange à tête noire se nourrit d'insectes, de graines et de baies.

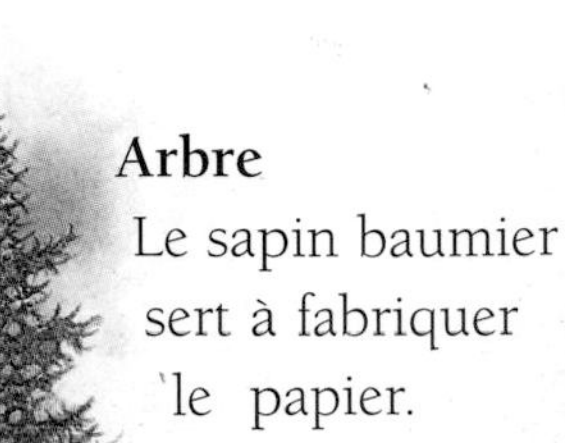

Arbre
Le sapin baumier sert à fabriquer le papier.

Les régions montagneuses du centre sont couvertes de forêts d'épinette, de sapin, d'érable et de hêtre qui abritent le lièvre d'Amérique, l'orignal, le porc-épic et le castor.

De nombreuses baies et anses servent d'abris sûrs aux petits bateaux et d'habitats à de grandes populations de poissons, de moules et d'oiseaux aquatiques comme le macareux, le fou de Bassan et la sterne arctique.

BAIE DES CHALEURS
BATHURST
Riv. Miramichi
MONCTON
DÉTROIT DE NORTHUMBERLAND
Riv. Saint-Jean
FREDERICTON
SAINT-JEAN
BAIE DE FUNDY

Dans les terres fertiles des plaines côtières, les fermiers cultivent la pomme de terre et font l'élevage de la vache laitière.

Quatre-vingt-huit pour cent du territoire du Nouveau-Brunswick sont couverts de forêt ; c'est le plus haut pourcentage du pays.

À l'endroit où la rivière Saint-Jean se jette dans la baie, la forte marée fait remonter les eaux et crée des « chutes réversibles ».

Les marées de la baie de Fundy ont sculpté le long de la grève d'étranges formes comme les « pots de fleurs » dans le parc national de Fundy.

La baie de Fundy possède les plus hautes marées du monde, souvent de plus de 15 m, soit autant qu'un édifice de cinq étages. À marée basse, les marins doivent utiliser de longues échelles pour descendre du quai jusqu'à leur bateau.

CULTURE ET SOCIÉTÉ

En 1910, on créa à la chocolaterie Ganong de St. Stephen la première barre de chocolat qui servait de collation aux pêcheurs.

La pêche au homard est la pêche la plus rentable de la province.

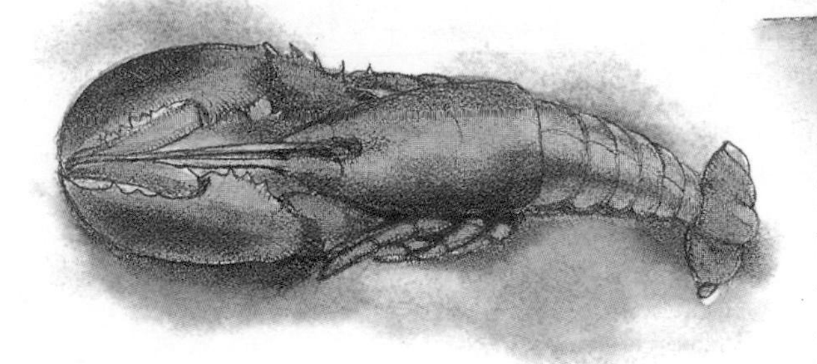

En 1860, la première corne de brume résonna à l'île Partridge. Inventée par l'ingénieur Robert Foulis, son mugissement, beaucoup plus puissant que le son métallique d'une cloche, perçait la brume et permit de sauver plusieurs bateaux.

Le plus long pont couvert (391 m) du monde traverse la rivière Saint-Jean à Hartland.

HISTOIRE DE LA PROVINCE

Les premiers habitants de ce qui est aujourd'hui le Nouveau-Brunswick étaient les ancêtres des Micmacs et des Malécites qui vivaient de chasse, de pêche et de cueillette. Ces Amérindiens servirent de guides aux explorateurs français comme Samuel de Champlain en 1604. Les Français avaient donné le nom d'Acadie à la région de la côte est.

1713

Les colons français appelés Acadiens cultivaient les terres autour de la baie de Fundy. Pendant la guerre en Europe, l'Acadie appartint tantôt à la France, tantôt à l'Angleterre. En 1713, la majeure partie de son territoire devint anglaise. Comme les Acadiens refusaient de prêter serment d'allégeance à l'Angleterre, les soldats brûlèrent leurs maisons en 1755 et déportèrent au loin les familles, certaines jusqu'en Louisiane.

1784

Les colons qui fuyaient la Nouvelle-Angleterre durant la Révolution américaine s'établirent le long de la côte nord de la baie de Fundy et fondèrent la ville de Saint-Jean. Vers 1784, la région était si peuplée que le gouvernement britannique divisa la Nouvelle-Écosse en deux pour créer, dans la région nord, la nouvelle colonie du Nouveau-Brunswick.

Roch Voisine, de Saint-Basile, commença à composer de la musique à l'âge de 14 ans. En 1994, il gagna le prix Juno du chanteur masculin.

Tôt, au printemps, les habitants du Nouveau-Brunswick cueillent les jeunes tiges de fougère qui constituent un légume délicieux.

La côte magnétique est une fascinante illusion d'optique. Lorsqu'une voiture roule vers le bas de la colline, on dirait qu'elle la monte. Comme la région est très inclinée, ce qui ressemble à une pente ascendante est en fait une descente.

Né à Memramcook, Roméo Leblanc est le premier Acadien à remplir la fonction de gouverneur général du Canada.

1846

Lorsque la guerre avec la France empêcha l'Angleterre d'acheter son bois en Europe, c'est au Nouveau-Brunswick qu'elle a dû demander le pin nécessaire à la fabrication des mâts de bateaux. L'industrie forestière procurait des emplois à beaucoup de gens, y compris aux milliers d'immigrants qui, fuyant la famine en Irlande, arrivèrent après 1846.

1864

En 1864, certains politiciens suggérèrent que les petites colonies britanniques s'unissent pour former un seul pays. L'Angleterre en avait assez de payer des soldats pour défendre ses frontières contre des attaques américaines éventuelles et certains colons désiraient un meilleur marché pour vendre leurs récoltes. Le 1er juillet 1867, le Nouveau-Brunswick devint donc l'une des quatre premières provinces du Canada.

ANNÉES 1960

Lorsque le fer et l'acier remplacèrent le bois dans la construction des navires, le bois d'œuvre devint inutile et la province s'appauvrit. Pendant les années 60, le premier ministre Louis Robichaud, un Acadien, contribua à créer de nouveaux emplois en encourageant la croissance d'industries comme l'exploitation minière et l'électricité. C'est aussi lui qui fit passer une loi reconnaissant le bilinguisme de la province.

AUJOURD'HUI

L'industrie manufacturière continue de prospérer alors qu'on trouve d'autres façons de transformer la pâte à papier et les produits alimentaires. Le télémarketing est aussi une nouvelle industrie en pleine croissance.

NOUVELLE-ÉCOSSE

La Nouvelle-Écosse est une étroite bande de terre au large de la côte est du Canada ; elle est rattachée au Nouveau-Brunswick par un petit isthme. À la pointe nord se trouve l'île du Cap-Breton. La côte dentelée offre de nombreux ports pour les gros vaisseaux ainsi que pour les petits bateaux de pêche. Comme la province est presque entièrement entourée par la mer, la pêche a longtemps été sa principale industrie. La morue et l'aiglefin étaient pêchés en grand nombre. Aujourd'hui, le homard et les pétoncles constituent les principales prises. Le bois, le charbon et le pétrole sont aussi d'importantes ressources naturelles. La majorité de la population de la Nouvelle-Écosse habite près de la côte, dont la moitié dans les grandes villes : Halifax, Dartmouth et Sydney. Même si les températures intérieures varient de très froid à très chaud, la mer adoucit le climat côtier et cause d'épais brouillards.

Devise
Munit hæc et altera vincit
L'UN DÉFEND, L'AUTRE CONQUIERT

Points de repère

Population : 909 282 hab.

Superficie : 55 490 km²

Capitale : Halifax (332 518 hab.)

Autres villes importantes :
Dartmouth (65 629 hab.)
Sydney (17 294 hab.)
Glace Bay (23 038 hab.)

Principales industries :
production manufacturière, exploitation minière et forestière, pêche

Entrée dans la Confédération :
1er juillet 1867

Armoiries
L'écu porte la croix écossaise de Saint-André et le lion de l'Écosse pour montrer les premiers liens de la province avec ce pays. La licorne représente aussi l'Écosse et le chasseur aborigène le peuple autochtone.

Drapeau
Le drapeau reproduit l'écu des armoiries.

Emblème floral
L'épigée rampante fleurit dans les clairières au début du printemps.

Oiseau
Du haut du ciel, le balbuzard plonge les pattes devant pour pêcher le poisson le long de la côte et dans les lacs.

Arbre
L'épinette rouge est un conifère utilisé pour la pâte, le papier et le bois de construction.

Pierre
L'agate est une pierre semi-précieuse parfois utilisée en joaillerie.

Minéral
On trouve la stilbite, un minéral blanc perle, près de la baie de Fundy.

Les récoltes de bleuets du comté de Cumberland sont si abondantes chaque année qu'il est devenu le plus grand producteur mondial de bleuets sauvages surgelés. Certains entrent dans la confection des tartes et confitures destinées à son festival annuel du bleuet.

Le plateau continental est une plateforme rocheuse située à 200 m sous l'eau. C'était autrefois la région de pêche la plus riche du monde où foisonnaient la morue de l'Atlantique et d'autres poissons.

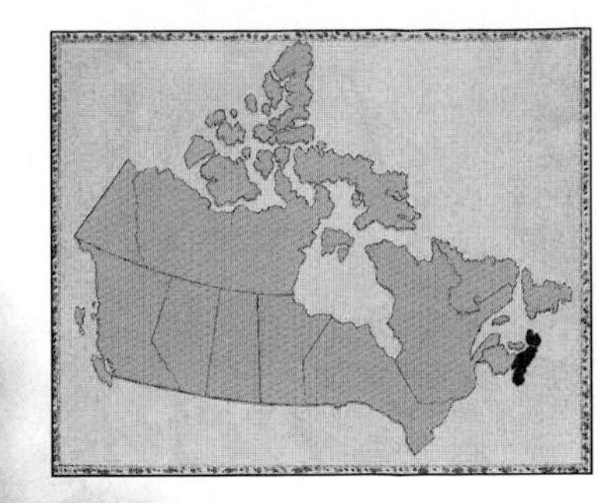

Les terres fertiles de la vallée de l'Annapolis servent à la pomiculture et à l'industrie laitière.

Les régions montagneuses du centre sont couvertes de forêts mixtes d'épinette, d'érable et de bouleau.

La baie de Fundy est célèbre pour ses hautes marées et ses pétoncles, un mollusque abondant dans ses eaux.

LA PISTE DE CABOT

ÎLE DU CAP-BRETON

GLACE BAY

SYDNEY

LOUISBOURG

Lac Bras d'Or

DÉTROIT DE NORTHUMBERLAND

BAIE DE FUNDY

VALLÉE DE L'ANNAPOLIS

DARTMOUTH

HALIFAX

PEGGY'S COVE

OCÉAN ATLANTIQUE

Le Bras d'Or, un grand lac d'eau salée, abrite 250 couples de pygargues à tête blanche, une espèce en voie d'extinction. Ce lac et la piste de Cabot, une région de paysages spectaculaires, attirent les touristes dans l'île du Cap-Breton.

Le phare de Peggy's Cove faisait partie des centaines d'autres qui bordaient la côte pour avertir les navires de la présence de rochers.

Alexander Graham Bell, l'inventeur du téléphone, passait ses étés au lac Bras d'Or sur l'île du Cap-Breton. Il y testa l'un des premiers avions, le *Silver Dart*.

L'océan Atlantique a sculpté des milliers de baies et d'anses dans la côte. Des bateaux de pêche partent de petits villages comme celui de Peggy's Cove pour prendre la morue et le hareng au filet. On aperçoit souvent des baleines au large de la côte ouest de la Nouvelle-Écosse.

CULTURE ET SOCIÉTÉ

Construite à Lunenburg, la goélette *Bluenose* était le voilier le plus rapide de son type. Elle est gravée dans les pièces canadiennes de 10 cents.

À Grand-Pré, dans la vallée de l'Annapolis, une statue d'Évangéline, héroïne fictive d'un poème connu, rappelle aux visiteurs la déportation des Acadiens en 1755.

À Louisbourg, forteresse française construite pour garder l'entrée du fleuve Saint-Laurent, les visiteurs peuvent voir comment on vivait en 1744 en marchant dans les rues et les édifices reconstruits ou restaurés.

HISTOIRE DE LA PROVINCE

Depuis la préhistoire, ce sont les Amérindiens qui occupaient la région aujourd'hui appelée Nouvelle-Écosse. À l'arrivée des Européens en 1605, les Micmacs, qui vivaient de la pêche, de la chasse et de la cueillette de baies et de plantes, y étaient déjà. Les colons français baptisèrent Acadie la région bordant la côte de l'Atlantique. Ils s'établirent d'abord à Port-Royal (aujourd'hui Annapolis Royal).

PORT-ROYAL

1755

Pendant les nombreuses années que dura le conflit entre l'Angleterre et la France, cette dernière perdit nombre de ses colonies, y compris l'Acadie. En 1755, l'Angleterre ordonna aux colons acadiens de prêter serment d'allégeance à la couronne britannique, mais la plupart refusèrent. Les Acadiens furent donc expulsés de leurs terres. Certains furent renvoyés en France, d'autres déportés en Louisiane, qui demeurait une colonie française.

1784

Les immigrants arrivaient de différents pays. Les Anglais fondèrent la ville de Halifax et, plus tard, les Allemands s'établirent à Lunenburg et les habitants de la Haute Écosse choisirent l'île du Cap-Breton. Pendant la Révolution américaine, plusieurs loyalistes (ceux qui désiraient vivre dans une colonie anglaise) de la Nouvelle-Angleterre et de l'État de New York s'y réfugièrent. En 1784, devenue grande et difficile à gouverner, la colonie fut divisée pour former la Nouvelle-Écosse et le Nouveau-Brunswick.

La chanteuse Ann Murray, de Springhill, a obtenu le premier de ses nombreux disques d'or pour son album *Snowbird.*

En 1902, Guglielmo Marconi envoya le premier message par ondes au-dessus de l'Atlantique à partir de Table Head dans l'île du Cap-Breton.

En 1846, Abraham Gesner éclaira le monde en obtenant le kérosène par distillation du pétrole. Cela permit aux gens de remplacer les bougies fumantes par des lampes à huile, moins chères et plus lumineuses.

La Citadelle, forteresse construite en forme d'étoile, surplombe le port de Halifax. Des soldats en uniforme du 19e siècle y exécutent des exercices d'infanterie.

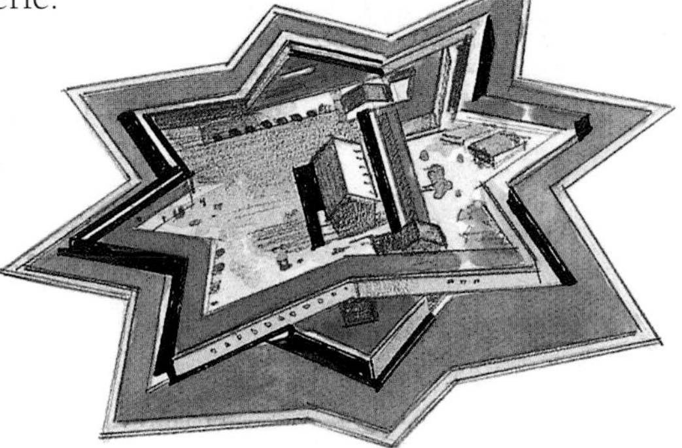

Les légendes micmaques comptent plusieurs histoires du grand chef Glooscap. Ce dernier aurait découpé la côte de la Nouvelle-Écosse et créé les Amérindiens et les animaux.

1867

Avec l'expansion d'industries comme la coupe du bois et la construction navale, les propriétaires d'entreprise désiraient des marchés plus grands et des moyens de transport plus rapides. Ils rêvaient d'un chemin de fer, mais c'était trop coûteux pour la colonie. Au même moment, le gouvernement britannique décida de retirer ses garnisons. Pour s'offrir une armée et un chemin de fer, la Nouvelle-Écosse décida donc de se joindre au Nouveau-Brunswick, au Canada-Est et au Canada-Ouest et, le 1er juillet 1867, les quatre formèrent le dominion du Canada.

1917

Halifax est l'un des plus grands ports naturels du monde. Durant la Première Guerre mondiale (1914-1918), plusieurs navires britanniques et canadiens y étaient basés. Le 16 décembre 1917, un navire transportant des explosifs explosa, tuant 1600 personnes et détruisant toute la partie nord de la ville.

ANNÉES 1950

Les mines de charbon, qui firent la richesse de certaines régions de la Nouvelle-Écosse au début du 20e siècle, se mirent à décliner dans les années 1950. Quand, vers les années 1990, la population des morues s'étant raréfiée, forçant la fermeture de ses usines de transformation de poisson,

la Nouvelle-Écosse avait perdu deux industries importantes.

AUJOURD'HUI

Le tourisme est en pleine expansion en Nouvelle-Écosse. En effet, la beauté de cette province et son histoire y attirent chaque été nombre de visiteurs.

ÎLE DU PRINCE-ÉDOUARD

L'Île du Prince-Édouard a été ainsi baptisée en 1799 en l'honneur du duc de Kent d'Angleterre, père de la reine Victoria. Son nom originel, *Abegweit,* vient d'un mot micmac qui signifie « bercé par les vagues ». Elle est la plus petite province du Canada tant par sa superficie que par sa population. Cette île en forme de croissant se trouve dans le golfe du Saint-Laurent et est séparée du Nouveau-Brunswick et de la Nouvelle-Écosse par le détroit de Northumberland. Grâce à la mer qui la baigne, les températures y sont modérées en hiver et en été, mais les vents incessants provoquent plusieurs tempêtes hivernales. L'île est célèbre mondialement pour plus de 30 variétés de pommes de terre cultivées dans son sol rouge. *Anne... La maison aux pignons verts,* roman de L. M. Montgomery, a fait connaître l'île jusqu'au Japon.

Devise
Parva sub ingenti
LES GRANDS PROTÈGENT LES PETITS

Points de repère

Population : 134 557 hab.

Superficie : 5 660 km²

Capitale : Charlottetown (57 224 hab.)

Autre ville : Summerside (16 001 hab.)

Principales industries : agriculture, tourisme, production manufacturière

Entrée dans la Confédération : 1er juillet 1873

Armoiries
Le lion anglais occupe le segment supérieur de l'écu. Dessous, un chêne et trois chêneaux poussent sur un îlot. Le grand chêne représente l'Angleterre gardant les trois comtés de la province.

Drapeau
Le drapeau reprend les armoiries de la province.

Emblème floral
Le sabot de la Vierge, une orchidée, fleurit dans les régions boisées humides et ombragées en mai et en juin.

Oiseau
Par son cri, le geai bleu avertit les autres oiseaux d'un danger.

Arbre
Le chêne rouge est reconnu pour sa force et sa longévité.

L'île repose sur le plateau continental, une plateforme rocheuse à 200 m sous la surface. Les eaux environnantes sont donc peu profondes et, par conséquent, excellentes pour la pêche.

Dans la baie de Malpèque, dans d'autres baies et à l'embouchure des rivières, on cultive sous l'eau les huîtres, les moules, les pétoncles et les palourdes dans des parcs.

Les insulaires puisent leur eau dans des puits, car l'île n'a pas de rivières importantes.

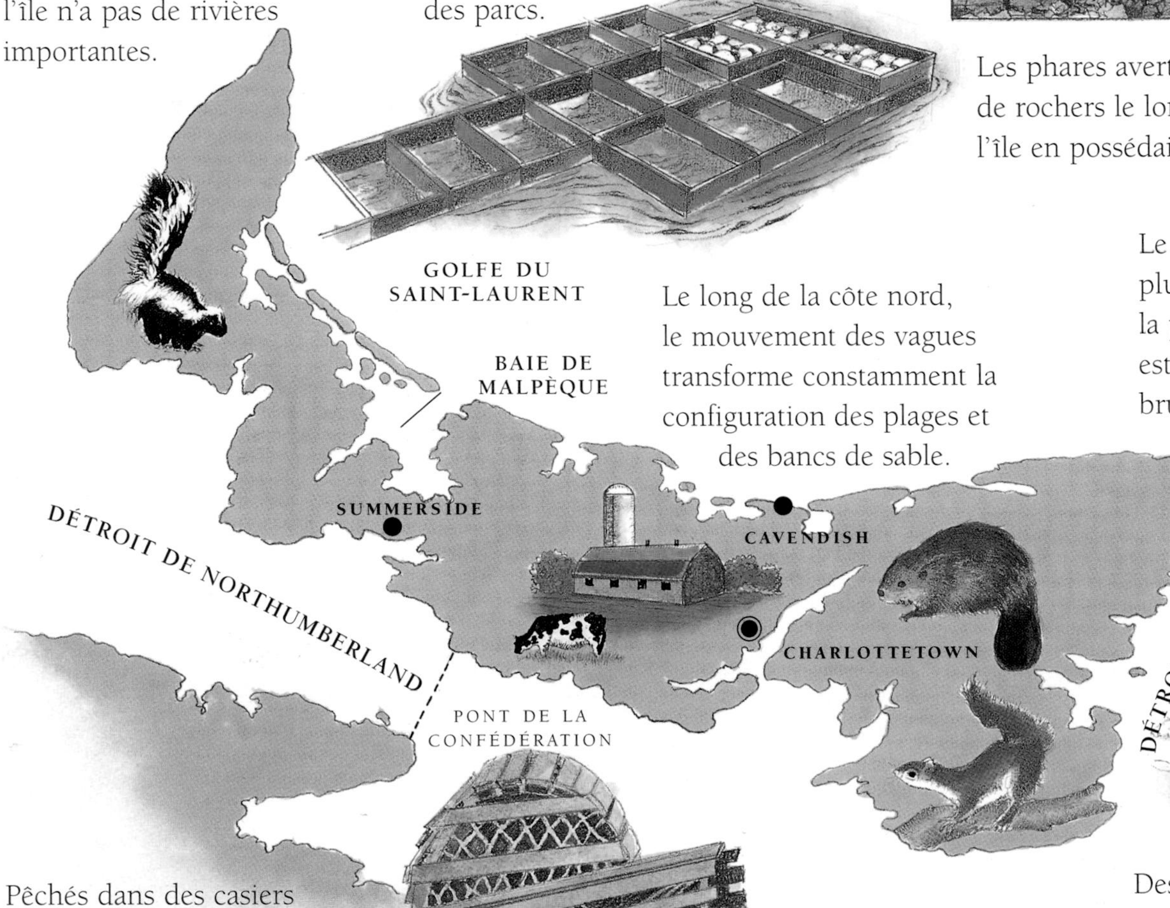

Les phares avertissent les bateaux de la présence de rochers le long de la côte. Autrefois, l'île en possédait plus de 75.

Le sol fertile de l'île favorise plusieurs cultures dont celle de la pomme de terre. L'oxyde de fer est responsable de sa couleur brun rougeâtre.

GOLFE DU SAINT-LAURENT

BAIE DE MALPÈQUE

Le long de la côte nord, le mouvement des vagues transforme constamment la configuration des plages et des bancs de sable.

SUMMERSIDE

CAVENDISH

CHARLOTTETOWN

DÉTROIT DE NORTHUMBERLAND

PONT DE LA CONFÉDÉRATION

DÉTROIT DE NORTHUMBERLAND

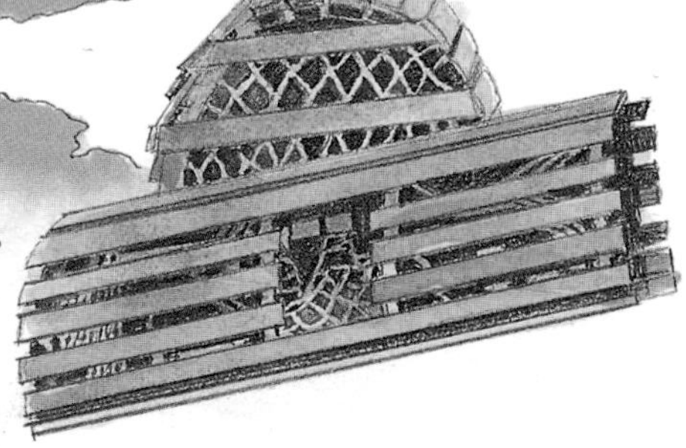

Pêchés dans des casiers lancés de petits bateaux, les homards constituent une des prises les plus importantes de l'île.

Des collines occupent le centre de l'île. Il y a longtemps, elles étaient couvertes de forêts, mais elles ont été transformées en terres agricoles.

Les insulaires avaient l'habitude de se rendre sur le continent en traversier. En 1997, on a inauguré le pont de la Confédération.

CULTURE ET SOCIÉTÉ

Chaque année, des milliers de touristes visitent Cavendish, cadre de l'histoire d'une petite orpheline rousse écrite par Lucy Maud Montgomery, *Anne… La maison aux pignons verts.*

Le plus gros thon rouge (680 kg) a été capturé près de North Lake Harbour, en 1979. La pêche au thon est un sport populaire.

C'est à Charlottetown que le Canada est né. En effet, une conférence tenue à Province House en 1864 a conduit, trois ans plus tard, à la formation d'un nouveau pays.

HISTOIRE DE LA PROVINCE

Les Amérindiens y ont vécu pendant des millénaires. Les Micmacs, les derniers arrivés, se déplaçaient d'un endroit à l'autre en transportant leurs huttes de peaux ou d'écorce. L'hiver, ils chassaient le cerf dans les forêts. L'été, ils s'installaient sur la côte pour pêcher le saumon et cueillir moules et pétoncles sur la grève.

ANNÉES 1720

Dans les années 1720, l'île fut colonisée par les Français qui l'appelèrent île Saint-Jean. Lorsque les Anglais en prirent possession, les fermiers français furent forcés de partir. Même si plusieurs ont été déportés, d'abord en Angleterre, puis en Louisiane, certains se sont cachés dans les bois ; privés de terre, ils se sont plus tard tournés vers la pêche pour survivre.

ANNÉES 1770

Dans les années 1770, plusieurs immigrants vinrent d'Écosse. Les loyalistes qui fuyaient la Révolution américaine arrivèrent dans les années 1780. En plus de la pêche et de l'agriculture, la construction navale devint une importante industrie de l'île. En 1769, la colonie appelée île Saint-Jean est séparée de la Nouvelle-Écosse et, en 1799, est baptisée Île du Prince-Édouard.

En hiver, d'énormes brise-glace dégagent les voies navigables.

À marée basse, après les orages, on cueille la mousse d'Irlande et on l'entasse dans des traîneaux tirés par des chevaux. Cette algue est utilisée comme épaississant dans la crème glacée, le dentifrice et autres produits.

Construit en 1964 pour commémorer la conférence de Charlottetown de 1864, le Centre de la Confédération abrite un théâtre, une bibliothèque et une galerie d'art.

Le grand héron passe le printemps et l'été dans les marais et les plaines boueuses. Cet oiseau niche ici en si grand nombre qu'il est devenu l'emblème des parcs nationaux de l'île.

1873

À partir de 1767, une grande partie de l'île a appartenu à des nantis vivant en Angleterre. Ils louaient les fermes très cher et expropriaient promptement ceux qui ne payaient pas. Finalement, le gouvernement de l'île décida d'acheter les propriétés et de les vendre aux fermiers. Il construisit aussi un chemin de fer qui traverse l'île. Comme les deux réalisations étaient très onéreuses pour les insulaires, le Canada offrit son aide et, en 1873, l'île devint la septième province de la Confédération.

1900

Au tournant du siècle, la pêche au homard et l'élevage du renard argenté étaient d'importantes industries. À la même époque, le premier plein wagon de pommes de terre de semence avait été vendu à l'extérieur de l'île pour commencer des cultures dans d'autres pays. En dépit de ces succès, l'industrie agricole de l'île ne crée pas beaucoup de nouveaux emplois et, de 1891 aux années 1930, plusieurs vont trouver du travail dans l'Ouest canadien.

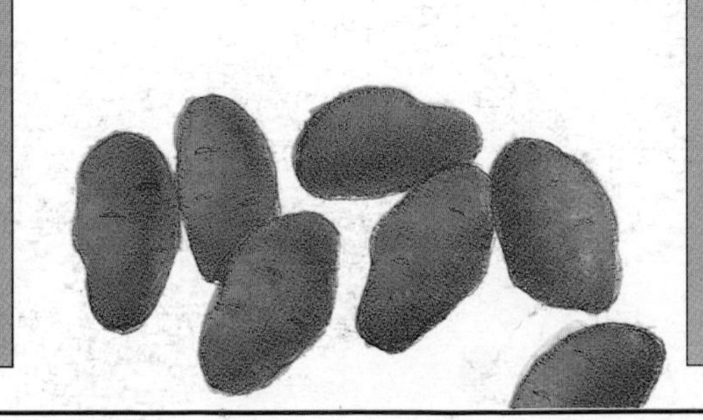

ANNÉES 1960

Vers les années 1960, grâce à l'aide du fédéral, la vie s'améliore sur l'île. L'exploitation de fermes laitières, la culture de la pomme de terre et la pêche sont toujours d'importantes industries.

AUJOURD'HUI

Un paysage magnifique et un riche passé historique font du tourisme une industrie en croissance dans l'île.

TERRE-NEUVE ET LABRADOR

La province la plus à l'est du Canada est divisée en deux parties : la côte du Labrador et l'île de Terre-Neuve. Même si les eaux froides de l'Atlantique frappent la côte, le courant chaud du Gulf Stream qui passe près de l'île réchauffe l'air, rendant le climat humide et brumeux. Les eaux grouillantes de poissons ont nourri les Amérindiens pendant des millénaires avant que les marins européens, déviés de leur cap, découvrent l'île et reviennent y pêcher la morue et le hareng. Pendant 500 ans, la pêche et la transformation du poisson ont été les principales industries dans l'île et sur la côte. Aujourd'hui, la surpêche a décimé les populations de poissons. L'exploitation minière, surtout celle du fer, est la principale industrie.

Devise

Quærite prime regnum dei

CHERCHEZ D'ABORD LE ROYAUME DE DIEU

Points de repère

Population : 551 792 hab.

Superficie : 405 720 km²

Capitale : Saint-Jean (174 051 hab.)

Autres villes :
Corner Brook (27 945 hab.)
Conception Bay (19 265 hab.)
Gander (12 021 hab.)

Principales industries : production manufacturière, exploitation minière et forestière, hydroélectricité

Entrée dans la Confédération : 31 mars 1949

Armoiries

Une croix d'argent comme celle des Chevaliers de Saint-Jean divise l'écu en quatre. Les lions et les licornes représentent l'Angleterre et l'Écosse. Des guerriers autochtones et un caribou entourent l'écu.

Drapeau

La flèche dorée de l'espoir en l'avenir est combinée au trident soulignant la dépendance de la province à l'égard de la mer. Le blanc symbolise la neige et la glace ; le bleu, la mer.

Emblème floral

La sarracénie pourpre, plante insectivore, pousse dans les tourbières.

Oiseau

Le macareux moine, symbole non officiel, niche sur les îles le long de la côte.

Arbre

L'épinette noire est utilisée dans différentes industries, comme celle de la pâte et du papier, et dans la fabrication d'instruments de musique comme les guitares et les violons.

Pierre

Le labrador, un type de feldspath, est facilement identifiable grâce à sa teinte bleu foncé.

L'extrémité nord du Labrador possède un climat subarctique avec de longs hivers et des étés courts.

Au centre du Labrador, c'est la taïga, une terre de tourbières marécageuses et de landes rocheuses dépourvues d'arbres.

Le littoral du nord du Labrador est découpé en longues baies appelées fjords.

Le plateau continental, un fond de mer rocheux et plat couvert de peu d'eau, s'étend jusqu'à 200 km du continent. Les Grands Bancs, une partie peu profonde du plateau continental, sont une source de pétrole et de poisson.

La rivière Churchill se fraye un chemin à travers le roc du bouclier pour rejoindre la mer du Labrador.

Le phoque gris et plusieurs espèces de baleines se retrouvent dans les eaux côtières. L'ours polaire, le caribou et le renard arctique habitent l'intérieur glacé du Labrador.

Les monts Torngat du Labrador sont les plus hauts à l'est des Rocheuses.

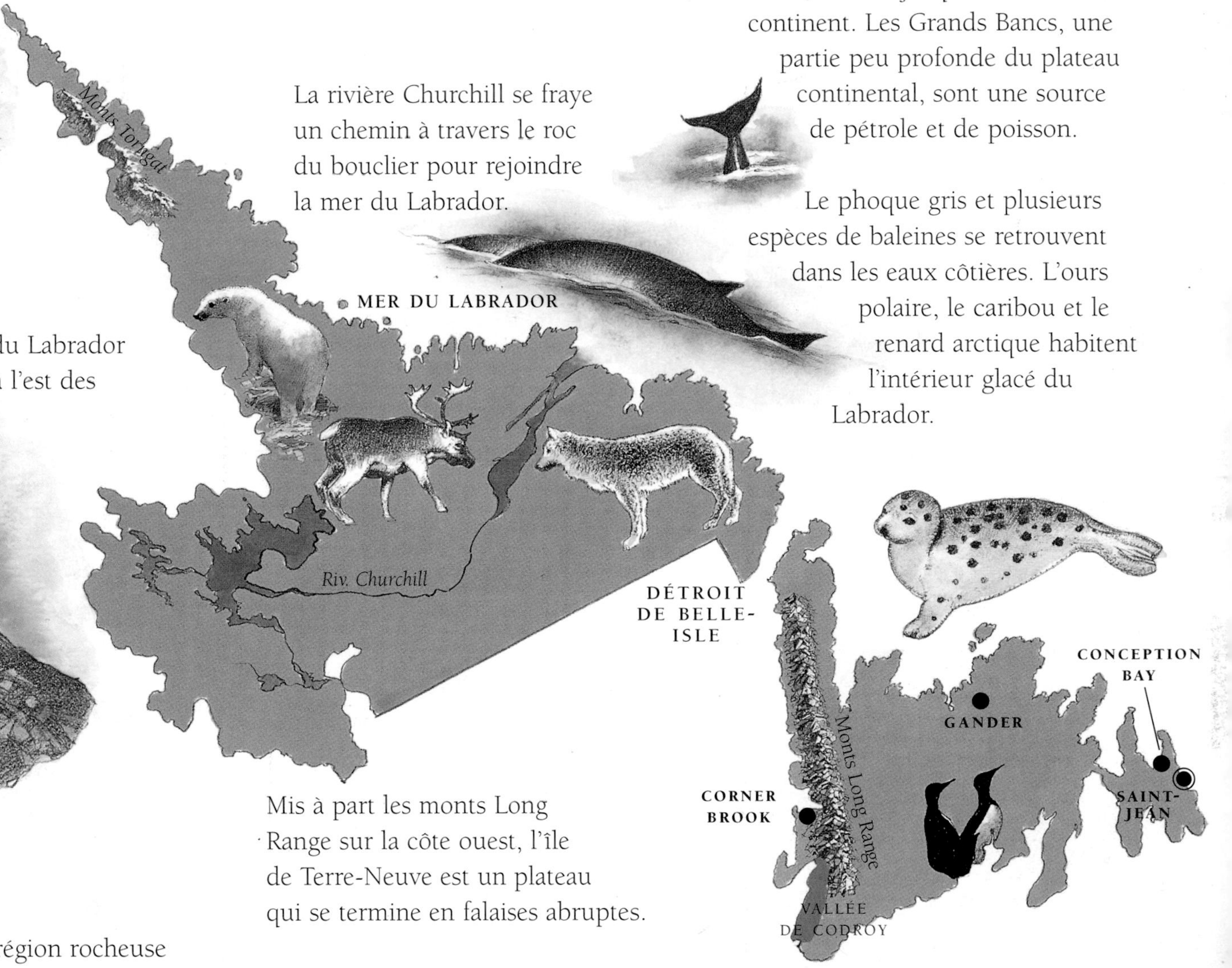

Mis à part les monts Long Range sur la côte ouest, l'île de Terre-Neuve est un plateau qui se termine en falaises abruptes.

Le bouclier boréal, région rocheuse forestière, couvre Terre-Neuve et le sud du Labrador d'épaisses forêts d'épinettes blanches et noires.

Plus de 350 espèces d'algues poussent dans les eaux côtières. Les insulaires utilisent les algues comme engrais.

La vallée de Codroy, sur la côte ouest, est l'une des rares régions recouvertes d'assez de terre pour être cultivées.

CULTURE ET SOCIÉTÉ

La station Churchill Falls au Labrador est l'une des plus grosses usines hydroélectriques du monde.

Hibernia, une grande plateforme de forage sise dans les eaux des Grands Bancs, se trouve sur la route que suivent chaque année des centaines d'icebergs à la dérive. De petits bateaux se tiennent toujours prêts à les repousser.

Signal Hill est un promontoire qui surplombe l'océan Atlantique. C'est ici, en 1901, que l'inventeur italien Guglielmo Marconi capta le premier message radio vocal transatlantique. La tour Cabot, située sur Signal Hill, surplombe l'Atlantique.

C'est en 1912 que le *Titanic,* le plus grand paquebot du temps, est entré en collision avec un iceberg au sud de Terre-Neuve. Il a coulé et 1513 personnes se sont noyées.

Auteur de huit livres pour les jeunes, Kevin Major habite Saint-Jean. L'un de ses romans raconte l'histoire de Shawnadithit, la dernière des Beothuks.

HISTOIRE DE LA PROVINCE

Pendant des milliers d'années, les ancêtres des Inuits chassèrent le phoque et l'ours polaire le long de la côte du Labrador. Les Beothuks, peuple amérindien qui a été décimé, chassaient le caribou et pêchaient dans les rivières grouillantes de poissons de l'île.

986

C'est autour de 986 que Bjarni Herjolfsson, un capitaine viking, a dévié de son cap le menant au Groenland. Ses récits parlant d'une terre riche en bois et en fruits sauvages ont attiré d'autres Vikings conduits par Leif Eriksson. Leur première colonie a été établie à l'Anse-aux-Meadows près de 500 ans avant l'arrivée de Christophe Colomb en Amérique du Nord, en 1492.

1497

Lorsque l'explorateur Jean Cabot revendiqua l'île pour Henri VII d'Angleterre, en 1497, les riches territoires de pêche des Grands Bancs étaient déjà connus des marins français, portugais et espagnols. Vers 1502, on appela l'île Terre-Neuve. Pendant les quatre siècles suivants, des flottes de France, d'Angleterre et d'autres pays européens sont venues pêcher chaque été dans les Grands Bancs.

Au début des années 1900, Wilfred Grenfell, médecin et missionnaire, utilisa un navire-hôpital pour desservir les villages de pêche le long des côtes du Labrador et à Terre-Neuve. Pour financer ce travail, il organisa une coopérative de tapis avec les artisans locaux. Faits main, ils illustraient des traîneaux à chiens, des oies sauvages et des ours polaires.

Les coutumes d'Angleterre et d'Irlande sont toujours populaires à Terre-Neuve. À Noël, des groupes de mimes déguisés traversent les villages en chantant et en jouant des saynètes. Ils sont souvent invités dans les fêtes.

En 1866, Heart's Content fut le point d'ancrage en Amérique du Nord du premier câble télégraphique transatlantique. Déposé au fond de la mer, ce câble rendit possible l'envoi de messages de Grande-Bretagne en Amérique du Nord.

Le cap Sainte-Marie est une réserve où des milliers d'oiseaux aquatiques nichent sur les rochers et les falaises surplombant l'océan.

Le cap Spear est l'endroit en Amérique du Nord le plus près de l'Europe.

1634

À partir de 1634, la colonie fut dirigée par des amiraux. Le capitaine du premier bateau de pêche anglais qui arrivait chaque printemps devenait amiral pour la saison et devait faire régner la loi et l'ordre. Ce n'est pas avant 1832 qu'un gouvernement élu fut établi à Saint-Jean, la plus grande colonie. L'accent distinctif des Terre-Neuviens leur vient des immigrants anglais et irlandais qui bâtirent de petits villages le long de la côte.

1867

Terre-Neuve décida de ne pas entrer dans le Canada en 1867. La pêche créa beaucoup d'emplois dans les petits villages ; l'exploitation minière et forestière ainsi que l'agriculture étaient florissantes. Plus tard, des chemins de fer furent construits pour faciliter les déplacements. Les insulaires se sentaient en sécurité en tant que citoyens d'un pays indépendant, d'abord dans l'Empire britannique, puis au sein du Commonwealth.

ANNÉES 1930

La crise économique des années 1930 amena son lot d'épreuves et le pays redevint une colonie britannique. Même si la Seconde Guerre mondiale (1939-1945) avait apporté de nouveaux emplois dans l'île et un aéroport à Goose Bay au Labrador, un mouvement populaire conduit par Joey Smallwood désirait l'annexion de Terre-Neuve au Canada. En 1949, elle devint la dixième province canadienne.

AUJOURD'HUI

De nouvelles industries se développèrent dans les années 1960 et 1970, mais la diminution de la population des morues dans ses eaux provoqua le chômage dans les années 1990. Les nappes de pétrole d'Hibernia font espérer pour l'avenir.

TERRITOIRE DU YUKON

Le Territoire du Yukon doit son nom au fleuve majestueux qui le traverse. Dans la langue des Kutchins, les Amérindiens de la région, *Yu-kun-ah* signifie « grand fleuve ». Le Yukon occupe la majeure partie de l'extrémité nord-ouest. Cette contrée montagneuse, parsemée de cours d'eau, permet aux touristes d'effectuer d'excitantes expéditions dans une région sauvage aux paysages spectaculaires comme les champs de glace du parc Kluane et la piste Chilkoot. Même si les températures sont douces en été et sous le point de congélation en hiver, le soleil éclatant et l'air sec font du ski, de la raquette et du traîneau à chiens des sports agréables. Depuis la ruée vers l'or de 1898, l'exploitation minière est restée une industrie majeure. Aujourd'hui, environ les deux tiers des habitants vivent à Whitehorse, la capitale.

Devise
Aucune

Points de repère

Population : 30 766 hab.

Superficie : 483 450 km^2

Capitale : Whitehorse (23 474 hab.)

Autres villes :
Dawson (1999 hab.)
Watson Lake (1794 hab.)

Principales industries : exploitation minière et tourisme

Entrée dans la Confédération : 13 juin 1898

Armoiries

Des bandes verticales ondulées blanches sur champ bleu représentent le fleuve Yukon et ses autres cours d'eau ; les pointes rouges, ses montagnes ; et les disques d'or, ses ressources minières. Le chien esquimau représente le courage, la loyauté et l'endurance. Au centre de la croix de Saint-Georges, patron de l'Angleterre, se trouve un disque symbolisant l'intérêt des premiers colons pour le commerce des fourrures.

Drapeau
Les trois couleurs représentent les traits principaux du territoire : le vert des forêts de la taïga, le blanc de la neige et le bleu des cours d'eau. Sur le panneau blanc, des tiges d'épilobe à feuilles étroites sont croisées sous les armoiries.

Emblème floral
L'épilobe à feuilles étroites est habituellement la première plante à apparaître après un incendie de forêt.

Oiseau
Le grand corbeau est un important symbole spirituel pour les Amérindiens.

Pierre
La lazulite est une pierre de couleur bleue utilisée en joaillerie.

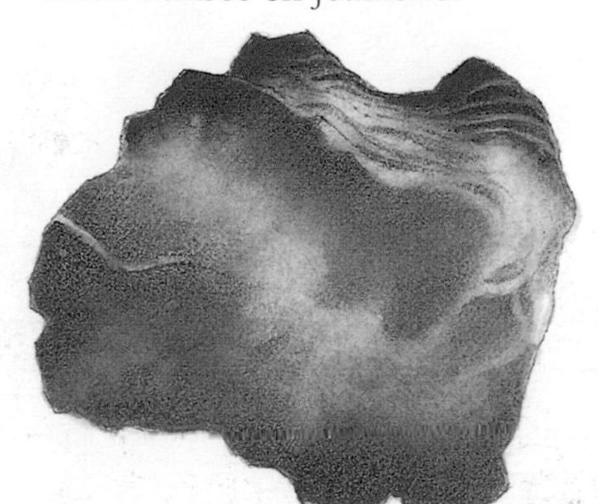

Deuxième fleuve du Canada en longueur, le Yukon mesure 3185 km.

Le pergélisol, sous-sol qui est constamment gelé, rend toute construction difficile.

Sur les versants des monts Ogilvie, dans la moitié nord-ouest du territoire, poussent du lichen, de la mousse et des arbustes.

MER DE BEAUFORT

Monts Richardson

CERCLE POLAIRE ARCTIQUE

Riv. Peel

Monts Ogilvie

DAWSON

Fl. Yukon

Monts Saint-Élie

MONT LOGAN

WHITEHORSE

Riv. aux Liards

WATSON LAKE

La plaine arctique côtière est une région de tourbières sans arbres.

Les rivières Peel et aux Liards se jettent dans le fleuve Mackenzie qui, à son tour, se jette dans l'océan Arctique.

Le mont Logan se dresse dans la chaîne des monts Saint-Élie, au sud-ouest. Avec ses 5951 m, c'est le plus haut sommet canadien. Dans la même chaîne, huit autres monts s'élèvent à plus de 4500 m.

Des champs de glace couvrent plus de la moitié de la réserve de parc national Kluane. Des glaciers comme le Steele et le Lowell sont ce qui reste d'une immense couche de glace qui recouvrait autrefois une grande partie du Canada.

Le cercle polaire arctique est une ligne imaginaire qui entoure la Terre à une latitude de 66° 33' Nord. Le soleil ne se couche pas au nord du cercle polaire le 21 juin, et il ne s'y lève pas le 22 décembre.

Les montagnes et le plateau de la moitié sud-ouest du Yukon sont couverts d'épinettes, de bouleaux, de peupliers et de pins lodgepole. Le cerf mulet, le caribou, la chèvre de montagne et le grizzli y habitent.

Le plateau du Yukon s'étend entre les chaînes Ogilvie et Richardson et la chaîne des monts Saint-Élie.

CULTURE ET SOCIÉTÉ

À l'époque de la ruée vers l'or, Martha Louise Black (1866-1957) traversa à pied et en canot la contrée accidentée et franchit, seule, le sentier du col de Chilkoot dans le Klondike. En 1936, elle est la deuxième femme à devenir députée au parlement fédéral.

On appelait *Sourdough* (le nom d'un pain qu'on cuisinait à cette époque) un chercheur d'or qui avait passé au moins un hiver dans les terrains aurifères.

Beaver Creek, près de la frontière du Yukon avec l'Alaska, est la ville située le plus à l'ouest du Canada.

En 1995, la Gendarmerie royale du Canada célébrait ses 100 ans de présence au Yukon. La première année, il n'y avait que vingt-deux hommes pour faire régner l'ordre parmi les chercheurs d'or.

On trouve à Watson Lake une forêt de panneaux indicateurs. C'est en 1942 qu'un ouvrier travaillant à la construction d'une route, pris du mal du pays, installa un panneau indicateur pointant vers chez lui. Aujourd'hui, plus de 20 000 de ces panneaux pointent dans toutes les directions, aussi bien vers Québec que Tokyo.

HISTOIRE DU TERRITOIRE

Il y a plus de 12 000 ans, des Asiatiques empruntèrent le détroit de Béring pour immigrer ici. Les Inuits pêchaient et chassaient alors le long de la côte arctique. Plus au sud, les Kutchins, les Tutchones, les Tagishs et les Tlinkits étaient trappeurs et chasseurs. Le virus de la variole, apporté en même temps que les marchandises de la côte de l'Alaska, décima ces peuples avant l'arrivée des premiers Européens.

1741

La Russie revendiqua l'Alaska en 1741. Durant les 30 années suivantes, les explorateurs russes firent du commerce avec les Inuits à l'est de l'Alaska. Craignant que la Russie ne revendique tout le Nord, la Grande-Bretagne signa en 1825 un traité acceptant les présentes frontières entre l'Alaska et le Yukon. De 1825 à 1847, l'explorateur anglais sir John Franklin chercha le passage du Nord-Ouest vers la Chine.

1842

La Compagnie de la baie d'Hudson construisit le fort Frances en 1842 et le fort Selkirk en 1848 pour faire la traite des fourrures avec les Amérindiens. Dans les années 1860, les missionnaires fondèrent des églises et les scientifiques étudièrent les richesses de la faune, de la flore et du sous-sol du Nord.

Au début, les milliers de chercheurs d'or se rendirent de Whitehorse à Dawson en bateaux à aubes, dont le dernier, le *Klondike*, a été transformé en musée.

Robert W. Service (1874-1958) fut surnommé « le poète du Yukon » après la publication de ses poèmes sur la vie à l'époque de la ruée vers l'or au Klondike. On peut aujourd'hui visiter la maisonnette qu'il habitait.

Les paysages du Yukon inspirèrent le peintre anglais Ted Harrison, qui créa un nouveau style aux couleurs et aux formes inhabituelles. On peut admirer son travail dans sa version illustrée d'un livre de Robert W. Service.

En 1989, Audrey McLaughlin, députée du Yukon, devint la chef du Nouveau Parti Démocratique (NPD) et la première femme à la tête d'un parti national.

1897

On découvrit de l'or à Forty Mile Creek en 1886, mais ce n'est pas avant 1897 que la ruée commença. Cette année-là, près de la rivière Klondike, des chercheurs d'or trouvèrent de grandes paillettes d'or qu'ils détachaient des rochers. Des milliers d'autres chercheurs d'or s'y ruèrent. En 1898, le Yukon devint un territoire fédéral dont la capitale était Dawson.

1899

Presque du jour au lendemain, des milliers de chercheurs d'or dressèrent leur tente à Dawson près des champs aurifères. Avec eux s'établirent les taverniers, les marchands et la Police montée du Nord-Ouest. Vers 1899, comme l'or facile à trouver avait disparu, Dawson périclita aussi rapidement qu'elle avait prospéré.

1900

Vers 1900, on n'extrayait l'or, le cuivre, le plomb et le zinc que des mines bien équipées. On pratiqua la pêche à la baleine dans la mer de Beaufort jusqu'en 1914, alors qu'on cessa de s'éclairer à l'huile de baleine. La population chuta. Puis, en 1942, les États-Unis décidèrent de construire l'autoroute de l'Alaska à travers le Yukon. Des centaines de travailleurs arrivèrent à Whitehorse, qui devint bientôt la capitale, en remplacement de Dawson.

AUJOURD'HUI

Le commerce des fourrures joue encore un rôle important dans l'économie du Yukon, mais l'exploitation minière et le tourisme fournissent maintenant la plupart des emplois.

TERRITOIRES DU NORD-OUEST

Les Territoires du Nord-Ouest couvrent une grande région au nord du 60e parallèle. Incluant l'archipel Arctique et le continent, ils occupent plus de 34 pour cent de la superficie du Canada, mais comptent moins de un pour cent de sa population. Les Territoires sont plus vastes que le Québec, la plus grande province canadienne. Dans cette immense terre de glace, de neige, de montagnes et de plaines habitent de petites populations d'Inuits, de Dénés et de Métis. La plupart des gens venant du Sud qui s'y sont établis habitent Yellowknife. Plusieurs travaillent dans les mines et les industries pétrolières. C'est très froid et sec dans l'extrême nord tandis que les étés sont doux et les hivers froids dans les régions du sud. Les Territoires du Nord-Ouest deviendront bientôt deux régions distinctes. Le 1er avril 1999, la section du Nord-Est, Nunavut (« notre terre » dans la langue des Inuits), deviendra une communauté autonome. La date où la section du Sud-Ouest, Dénédeh (terre du peuple), le deviendra n'a pas encore été choisie.

Devise
Aucune

Points de repère

Population : 64 402 hab.

Superficie : 3 426 320 km^2

Capitale : Yellowknife (17 275 hab.)

Autres villes :
Inuvik (3296 hab.)
Hay River (3611 hab.)
Iqaluit (4220 hab.)

Principales industries : construction, exploitation minière, tourisme

Entrée dans la Confédération : 15 juillet 1870

Armoiries
La bande bleue ondulée symbolise le passage du Nord-Ouest qui traverse la banquise polaire. La partie verte symbolise la forêt du sud et la rouge, la toundra du nord. Les billettes d'or et le renard polaire représentent les minéraux et les fourrures. Les narvals encadrent une rose des vents qui symbolise le pôle Nord.

Drapeau
Le panneau blanc représente les glaces et les neiges. Les deux bandes verticales bleues symbolisent les lacs et les cours d'eau des Territoires.

Emblème floral
La dryade à feuilles, de la famille des rosacées, pousse sur le sol rocailleux de l'Arctique.

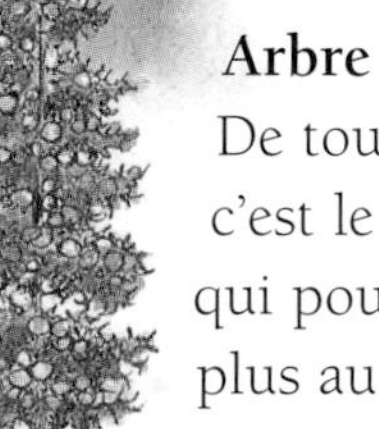

Arbre
De tous les pins, c'est le pin gris qui pousse le plus au nord.

Minéral
L'or est extrait près de Yellowknife.

Toutes les îles au nord de la ligne de pointillés inégaux font partie de l'archipel Arctique. Pendant le bref été, des lichens et d'autres petites plantes poussent sur les îles.

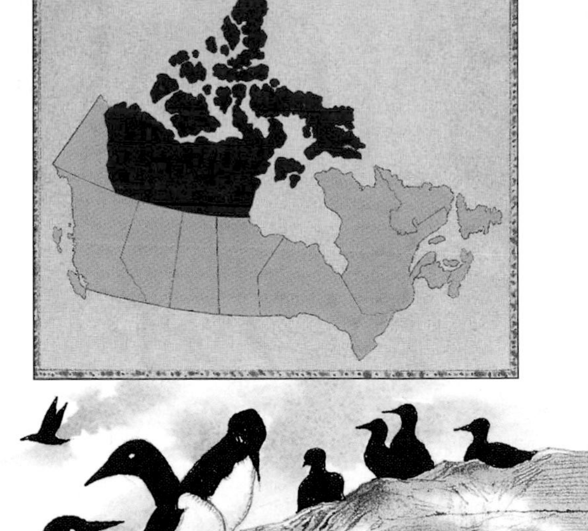

Des *inukshuks,* empilements de pierres qui ont l'allure d'humains, servent à diriger les caribous vers des chasseurs embusqués.

La limite des arbres, ligne au-delà de laquelle il fait trop froid pour que les arbres poussent, divise les Territoires en régions arctique et subarctique.

Le fleuve Mackenzie, qui coule vers le nord du Grand Lac des Esclaves jusqu'à la mer de Beaufort, est le plus long fleuve canadien (4241 km).

La Terre de Baffin, la plus grande île du Canada, sert d'habitat d'hiver au béluga et de zone de nidification à la mouette et à la marmette.

OCÉAN ARCTIQUE
ÎLE D'ELLESMÈRE
MER DE BEAUFORT
INUVIK
Fl. Mackenzie
TERRE DE BAFFIN
Monts Mackenzie
Monts Franklin
Grand Lac de l'Ours
CERCLE POLAIRE ARCTIQUE
IQALUIT
TOUNDRA DU CANADA DU NORD
Grand Lac des Esclaves
YELLOWKNIFE
HAY RIVER
PARC NATIONAL WOOD BUFFALO
BAIE D'HUDSON

La ligne bleue indique la frontière du Nunavut.

Les chaînes de montagnes Mackenzie et Franklin s'étendent le long de la frontière avec le Yukon.

La vallée du fleuve Mackenzie est une région de fondrières et de marais. L'épinette noire pousse sur les versants des collines.

Les plaines sont parsemées de plusieurs lacs. Les prairies marécageuses sont mêlées de forêts d'épinettes et de mélèzes.

Le sud de l'Arctique fait partie du Bouclier canadien. La région de roc mise à nu par les glaciers est nommée Toundra du Canada du Nord.

Avec ses 614 m de profondeur, le Grand Lac des Esclaves est le plus profond des lacs canadiens. C'est le plus grand lac entièrement en sol canadien.

CULTURE ET SOCIÉTÉ

L'autoroute Dempster (700 km), qui va de Dawson à Inuvik, est la seule voie publique au nord du cercle polaire arctique. Une couche spéciale de gravier protège la route de la poussée du pergélisol.

Les pingos, des monticules de glace solide couverts de terre et de plantes, jaillissent de la toundra sous la poussée du pergélisol. On en trouve des centaines dans le delta du fleuve Mackenzie. Certains mesurent jusqu'à 70 m de haut.

La stéatite, dont la texture glissante rappelle le savon, est utilisée depuis des millénaires par les Inuits pour sculpter différents objets comme des lampes. La vente de sculptures en stéatite constitue un apport économique important.

Le parc national de l'île d'Ellesmere est le parc le plus au nord du monde.

HISTOIRE DES TERRITOIRES

Il y a plus de 12 000 ans, les ancêtres des Dénés traversèrent le détroit de Béring en Sibérie et allèrent vers le sud où ils chassèrent le caribou. Plus tard, les ancêtres des Inuits les suivirent, vivant d'abord en Alaska, puis allant vers l'Arctique canadien. Ils devinrent experts dans la chasse au phoque et à l'ours polaire.

LEIF ERIKSSON

1000

Vers l'an 1000, l'aventurier norvégien Leif Eriksson, qui venait du Groenland, fut peut-être le premier Européen à visiter la région. En 1576, sir Martin Frobisher arriva en espérant avoir trouvé la route vers la Chine. Plus tard, Henry Hudson et d'autres explorateurs cherchèrent à leur tour le passage du Nord-Ouest.

1771

Les marchands de fourrures étaient souvent les premiers Européens à voir les territoires sauvages. En 1771, Samuel Hearne explora au-delà du Grand Lac des Esclaves jusqu'à l'embouchure de la rivière Coppermine. En 1789, Alexander Mackenzie suivit un fleuve gigantesque (qui porte maintenant son nom) jusqu'à son embouchure à la mer de Beaufort. Entre 1819 et 1847, sir John Franklin conduisit trois expéditions pour dresser la carte de la côte et chercher le passage du Nord-Ouest.

ALEXANDER MACKENZIE

Au-dessus du cercle polaire arctique, il y a la terre du soleil de minuit. En juin, le soleil brille jour et nuit. En décembre, il fait sombre : le soleil ne se lève pas.

Les aurores boréales sont des rubans de lumière colorée qui semblent danser dans le ciel nocturne. Les peuples du Nord ont différents mythes pour expliquer ces lumières.

Michael Kusugak de Rankin Inlet écrit ses souvenirs d'enfance dans lesquels il raconte comment sa famille se déplaçait en traîneau à chiens sur la mer glacée. Il raconte aussi un mythe inuit qui parle de lumières miroitantes.

La chanteuse et auteure-compositrice Susan Aglukark, d'Arviat, est la première artiste inuite à enregistrer un disque. Son quatrième album lui a valu un disque d'or (50 000 copies vendues au Canada).

1870

En 1870, après avoir acheté les vastes territoires qui avaient appartenu à la Compagnie de la baie d'Hudson, le Canada s'étendait alors vers l'ouest jusqu'en Alaska. En 1880, la Grande-Bretagne céda l'archipel Arctique au Canada. Pour assurer sa propriété de cet immense territoire, le gouvernement canadien établit des détachements de la Police montée du Nord-Ouest dans des endroits éloignés comme Pond Inlet et Aklavik.

1905

En 1905, le 60ᵉ parallèle de latitude fut choisi comme frontière sud des Territoires. Lorsqu'on trouva des minéraux autour du Grand Lac des Esclaves et du Grand Lac de l'Ours dans les années 30, des colons du Sud s'y installèrent. Les pilotes de brousse y conduisaient des mineurs et d'autres travailleurs. Des stations de radio reliaient les villages. Les habitants du Sud apportèrent la tuberculose, l'influenza et d'autres maladies qui tuèrent plusieurs autochtones.

1955

Après la Seconde Guerre mondiale (1939-1945), craignant une possible attaque russe par le pôle Nord, les Américains décidèrent d'installer la ligne de radars DEW (*Distant Early Warning*, ou réseau de « pré-alerte »). La construction de ce Réseau, en 1955, y amena plusieurs travailleurs.

AUJOURD'HUI

La technologie moderne facilite l'exploitation des gisements de minéraux et de pétrole dans les Territoires.

GLOSSAIRE

Bouclier canadien
C'est une région rocheuse couvrant 4,6 millions de kilomètres carrés du territoire canadien. Du haut des airs, il ressemble à un bouclier entourant la baie d'Hudson et s'étirant à travers le nord jusqu'aux Rocheuses. Le roc du bouclier contient de nombreux métaux tels que l'or, l'argent, le cuivre, le nickel, le fer et le zinc.

Confédération
C'est l'union, le 1er juillet 1867, du Canada-Est (Québec) et du Canada-Ouest (Ontario), de la Nouvelle-Écosse et du Nouveau-Brunswick, qui furent les quatre premières provinces à former le Canada. Plus tard, d'autres colonies s'ajoutèrent. Le pays compte maintenant dix provinces et deux territoires.

constitution
Ce sont les règles ou les principes par lesquels une organisation est gouvernée. La Constitution canadienne englobe un certain nombre d'actes parlementaires, y compris la Loi constitutionnelle de 1982, et la Charte canadienne des droits et libertés.

crise économique de 1929
Ce fut une période de temps durs durant lesquels il y eut du chômage partout dans le monde. Elle dura de 1929 à 1939.

détroit
C'est un long passage étroit qui permet à deux étendues d'eau de communiquer.

érosion
C'est l'usure de l'écorce terrestre due à l'action de l'eau ou de la glace.

fjord
C'est une longue baie étroite. Ces anses bordées de falaises le long de la côte se retrouvent habituellement en régions montagneuses et ont probablement été creusées par des glaciers glissant dans la mer.

glacier
C'est une masse de glace formée dans le haut des montagnes par la pression d'épaisses couches de neige. En glissant lentement en bas des montagnes, elle se met à fondre et aide à créer des rivières.

latitude, parallèles de
Ce sont les cercles parallèles à l'équateur dessinés autour de la Terre. Ils sont numérotées de 0 à 90 au nord et de 0 à 90 au sud de l'équateur. Le 49e parallèle de latitude Nord est utilisé comme frontière entre l'ouest canadien et les États-Unis.

loyalistes
Ce sont les colons qui fuirent les États-Unis pendant la Révolution américaine (1775-1783) parce qu'ils désiraient vivre en territoire britannique.

passage du Nord-Ouest
C'est la route maritime à travers l'archipel Arctique. À partir du début des années 1500, plusieurs explorateurs cherchaient la route la plus rapide vers l'Orient pour se procurer soieries et épices. Lorsque Roald Amundsen de Norvège trouva le passage, en 1903, il n'était plus nécessaire.

pemmican
C'est de la viande de bison séchée et réduite en poudre, puis mélangée avec de la graisse animale et des baies. Cette préparation pouvait se conserver pendant des mois.

pergélisol
C'est le terme qui désigne le sol gelé en permanence dont la température est restée à 0°C ou sous 0°C pendant au moins deux ans. Le pergélisol couvre près de 50 pour cent du Canada.

plateau
C'est une large région de terre plate s'étendant habituellement entre des montagnes. Certains plateaux se terminent en falaises abruptes.

plateau continental
C'est le fond marin autour des bords d'un continent. Il est couvert d'eau peu profonde, habituellement pas plus de 100 brasses (183 m), ce qui est excellent pour la pêche.

tipi
C'est une tente en forme de cône. Il s'agit d'une structure de piquets recouverte de peaux de bêtes. Ces abris étaient fabriqués par les nations des Plaines.